Notebook That Can Learn Ad-lib Of

Jazz Piano Fast

自由現代社

カンタンなのに
カッコいいフレーズが
すぐ弾ける!

JAZZ PIANO
ジャズ・ピアノ・
アドリブ速習帳

第1章：まずはウォーミング・アップから

第2章：小ワザでお手軽アドリブ

第3章：仕込みOKで余裕のアドリブ

第4章：ちょっとプロフェッショナルなアドリブ

■ まえがき

ジャズを始めて、コードも理論もひと通り分かり、メロディも伴奏もそれっぽく弾けるようになったところで、多くの人は「アドリブ」という壁にぶつかるようです。習得した理論が実際のアドリブに思うように応用できず、途方にくれて、無力感に襲われるのも、そんな時ではないでしょうか。

アドリブができるようになる過程は、おそらく脳科学的にも明らかにはなっていないのでしょうが、神がかり的な特殊な才能で、何もないところから魔法のように知らないフレーズが湧き出てくる、というわけでは決してないのです（たまにはそういうこともあるのかもしれませんが…）。

アドリブとは、音楽的な経験や知識やトレーニングなどが蓄積されて、演奏者の個性や感性とうまくつながった時に、ふっと開眼して出来るようになるのかもしれません。アドリブについて、多くのミュージシャンが「気がついたら出来るようになっていた」と言っているのも、また、よく言語や会話の能力の習得にたとえられるのも、そういう所以かと思われます。

本書では、即興のシンプルな発想法から、ジャズの名盤における実例まで、幅広く紹介しています。練習問題で実際にフレーズを作るコーナーもありますので、まずは、いろいろなアドリブのアプローチ法を楽しみながら試してみましょう。

尚、本書ではジャズ・ピアノの初歩的な教則内容は割愛させて頂いております。入門から学びたい方は、拙著（巻末著者プロフィール参照）を参考にして頂ければ幸いです。

横岡ゆかり

第1章
まずはウォーミング・アップから

脳と指の回線をつなげよう

アドリブを始めるにあたって、思い通りの音を脳から指先へ、タイムラグが生じることなく即座に伝えられるように、まずはウォーミング・アップから始めましょう。

プチ・ブラインドタッチ

アドリブ演奏というと、あらかじめ用意した譜面通りではなく“自分でメロディを作ること”というイメージが強いかもしれませんが、実はもう1つ、**頭に浮かんだ音やフレーズをリアルタイムで実際の音にしていく**という重要な作業が伴うわけです。ここが作曲とは大きく違う点ですね。

アドリブを始める前のウォーミング・アップとして、まずは出したい音がどこにあるのか、鍵盤の幅や距離を感覚でつかむための練習から始めましょう。なるべく**鍵盤を見ないで、その配列や位置をイメージ**しながら弾いてください。運指は1−2−3−4−5−4−3−2−1の順になります。

スケール・エクササイズ

指番号：1…親指　2…人差指　3…中指　4…薬指　5…小指

1　2　3　4　5　4　3　2　　同じ指使いで→

コード・エクササイズ

音域を広げましょう。ここからは、弾きやすい指使いでOKです。

■ 半音からオクターブまで

相対音感を鍛える探り弾き

譜面を見ないで、鍵盤上で音を探しながら弾く“探り弾き”の練習は、耳コピやアドリブをする時に役に立ちます。メロディを知っている曲ならジャンルは何でも OK です。普段から**譜面に頼らないで探り弾きをする習慣**をつけると良いでしょう。参考までに、レベルごとの選曲例をご紹介します。メロディの冒頭だけを示すので、続きを弾いてみましょう。キーをいろいろ変えてチャレンジしてみてください。

初級者向け → 転調がなく手のポジション移動や指くぐりなしで弾けるもの

『聖者の行進』アメリカ民謡

『ちょうちょう』フランス民謡

中級者向け → 転調がなく音域が 1 オクターブ以上で音の跳躍が多いもの

『千の風になって』作曲：新井満

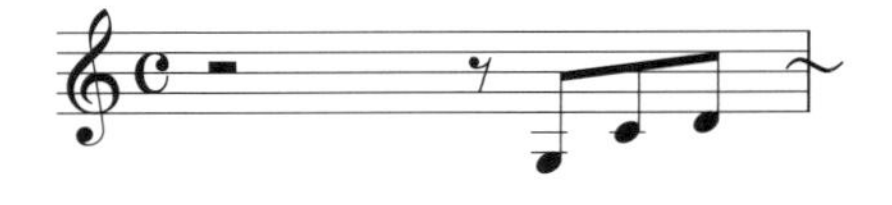

『卒業写真』作曲：荒井由実

上級者向け→ ♯ や ♭ などの臨時記号が付くものや途中で転調のあるもの

『禁じられた遊び』スペイン民謡

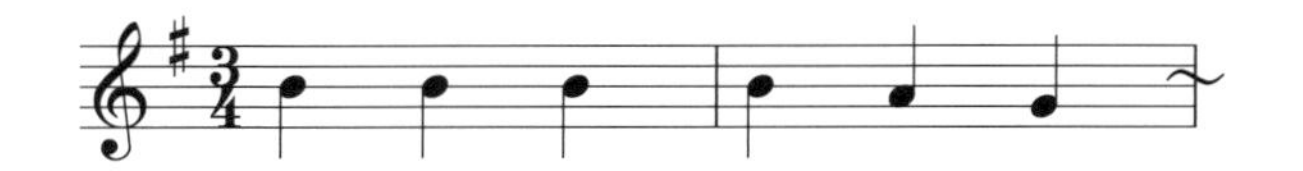

『Smoke Gets In Your Eyes』作曲：ジェローム・カーン

不思議アレンジでイヤー・トレーニング

音感を鍛えるトレーニングです。ここでは童謡のやさしいメロディをモチーフにした、ちょっと変わったアレンジを体験してみましょう。

◨『メリーさんの羊』ミクロコスモス風左右対称フレーズ

『やぎさんゆうびん』ちょっと前衛芸術的なコード・アレンジ
オリジナル
C F C G C
C F C G C
F C G Am F G C
作曲：團　伊玖磨
アレンジ
F♯m7(−5) Fm7 Em7 E♭7 Dm7 G7 Em7 E♭7
Dm7 B♭7 Am7 E♭7 Dm7 D7 G7sus4 G7
Gm7 C7 G♭7 F F(+5) Dm A♭7
G7 B♭7 Am7 C7 B7 E7 B♭7 A♭/B♭

やわらかアタマを目指す“ピアノでモノマネ”

音楽療法の中には観念的な事から目に見えるものまで、なんでも音で即興表現してしまう方法があります（古くはクラシック音楽の世界でも、鳥の鳴き声を音で表現するなどの試みがあったようですが…）。譜例はあくまで参考例ですので自由にやってみましょう。音楽療法の即興は、フリージャズに近いものがありますが、たまには趣向を変えてこんな方法も覚えておくと、発想のヒントになるかもしれません。

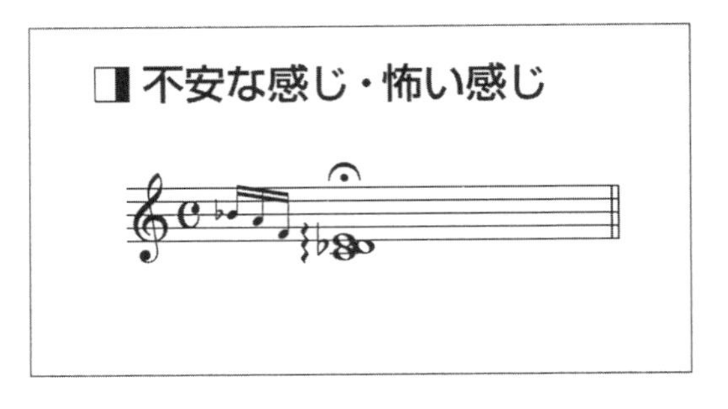

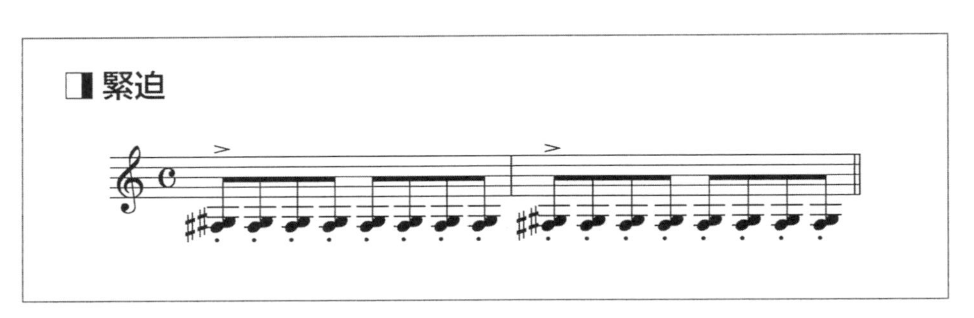

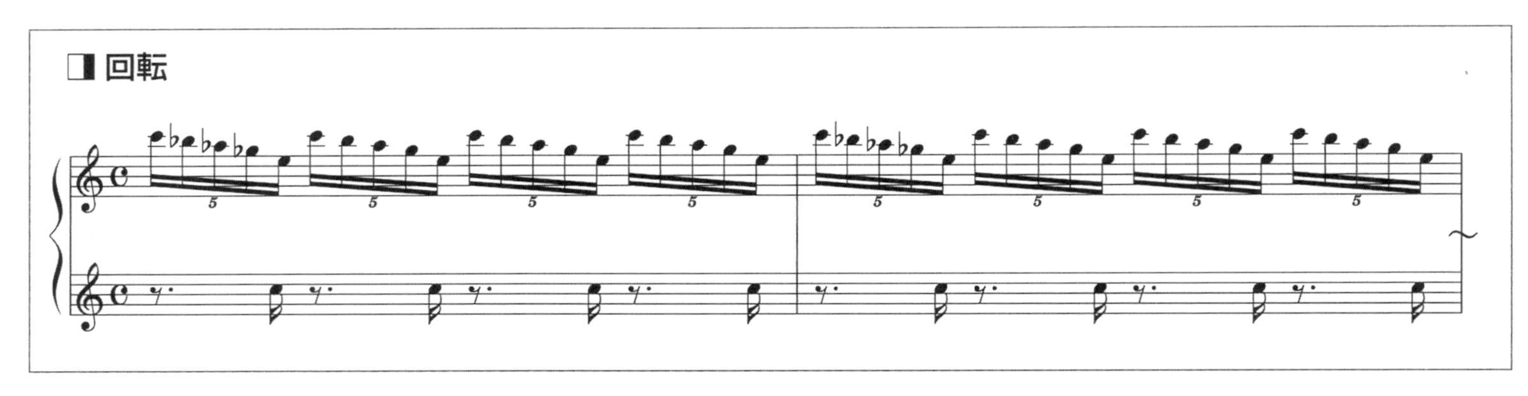

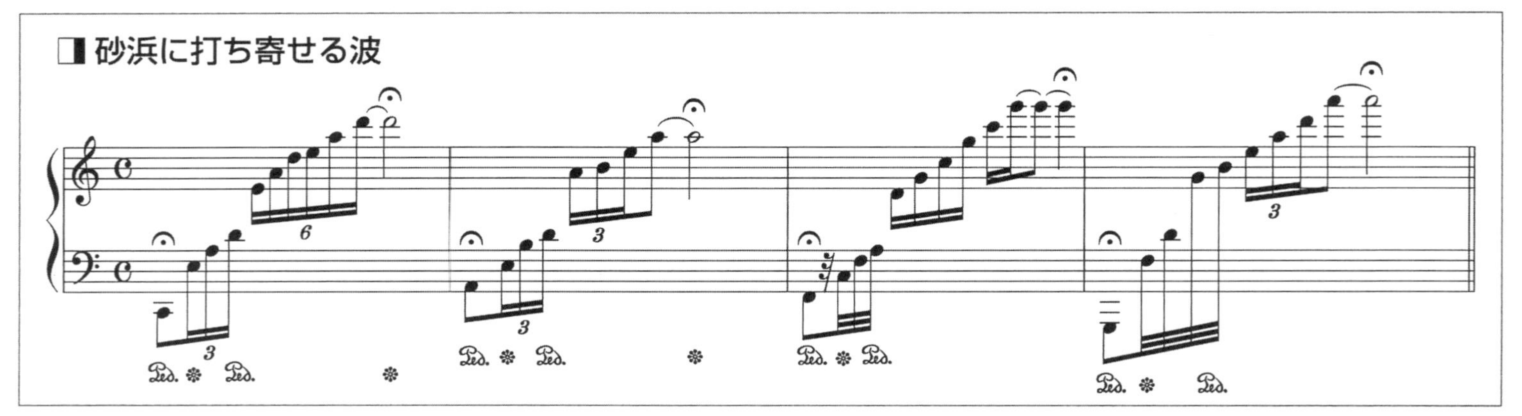

第1章　まずはウォーミング・アップから

指を自由自在に動かそう

演奏中、せっかく良いフレーズを思いついたのに、指が正しく反応してくれなかったら、こんなくやしいことはないですね。そんな思いをしないように、指を自由自在に動かすトレーニングをしておきましょう。

意表を突くフレーズ

ジャズ好きの人は“普通ならこう行くだろう”と思うところを“あえて裏切る”のを好むフシがあるようで、それは、コード使いであったり、フレーズの言い回しであったり、と随所に見ることができます。実はこれこそが、ジャズの基本精神なのかもしれませんね！

これから練習するのは、マンネリ化したアドリブに陥らないように“指グセをリセットする”ためのトレーニングです。余裕があれば、いろいろなキーでも練習してみましょう。

ダイアトニック変則パターン

アルペジオ的な変則フレーズ
①
②

クロマティックな変則フレーズ
①
②
③
④

転調でアウト・フレーズ

フレーズの途中から転調するフレーズ
①
Key in C
Key in G
Key in D
Key in A
Key in E
①
Key in C
Key in F
Key in B♭
Key in E♭
Key in B♭
Key in F
Key in C

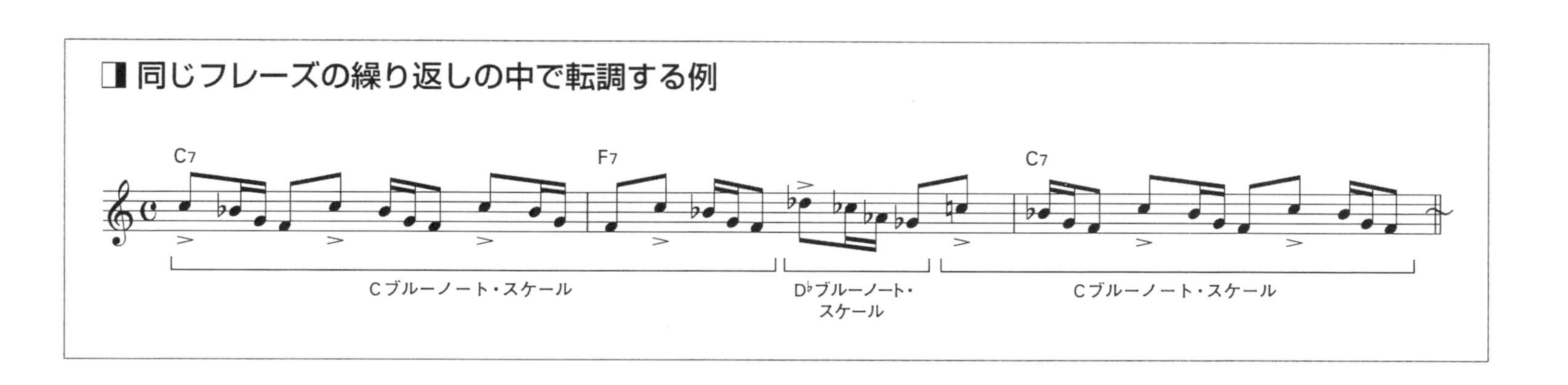
同じフレーズの繰り返しの中で転調する例
C7
F7
C7
Cブルーノート・スケール
D♭ブルーノート・スケール
Cブルーノート・スケール

速弾きのカギを握る指くぐりと指越え

メカニックな動きの練習で、さらに指や手首を柔らかくして、縦横無尽に動ける指を作りましょう。指番号は参考までに載せたものですので、この通りでなくてもかまいません。

①は、他に1－3－1－3…や1－4－1－4…の運指でも練習しましょう。また、①～④すべて無理のないテンポで、だんだん速く弾けるように練習しましょう。

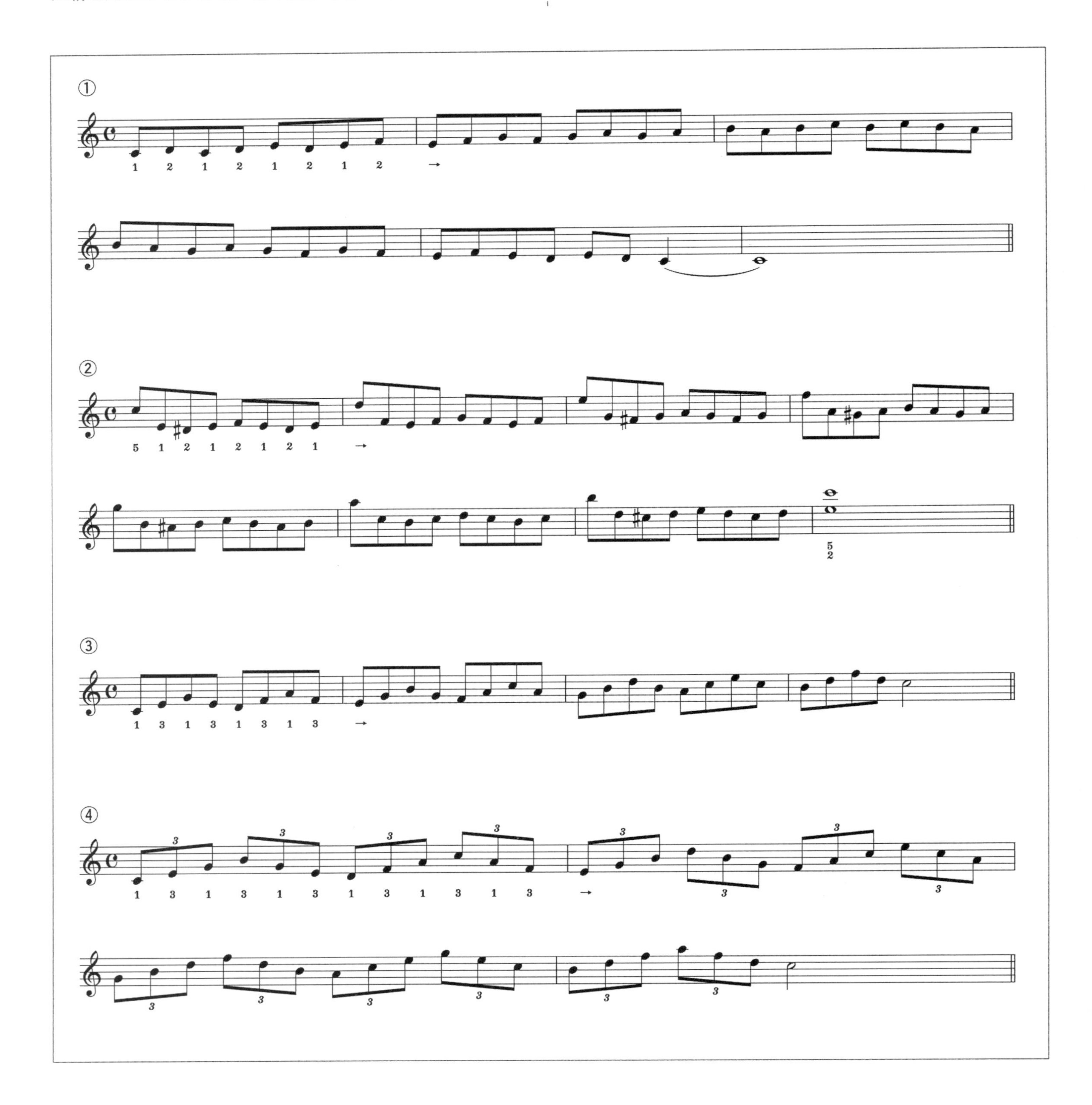

パラディドルで究極のトレーニング

ドラマーの基礎練習法にパラディドルがあります。これをピアノにも応用してみましょう。リズムの強化はもちろんのこと、対称的なフレーズなどの発想のアイデアとしても使えます。ここで紹介する他にもいろいろなパターンを作ってみてください。また、パラディドルはリズムが命です。練習する時はメトロノームなどを使うようにしましょう。

練習パターンの作り方

STEP 1

まずは、ドラマーの左右のスティックを２種類のコードに見立てます。

例①

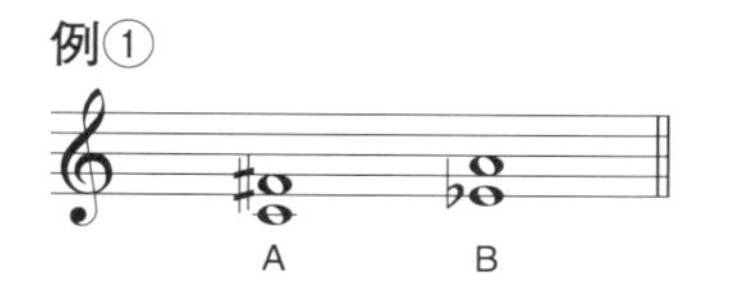

例②

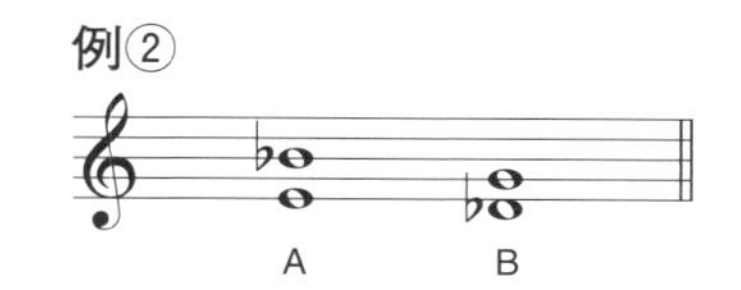

STEP 2

A－B－A－B、B－A－B－A、A－B－A－B－B－A－B－A…など、対称的なパターンを基本としてつなげていきます。

①のコードを使ったパターン例

②のコードを使ったパターン例

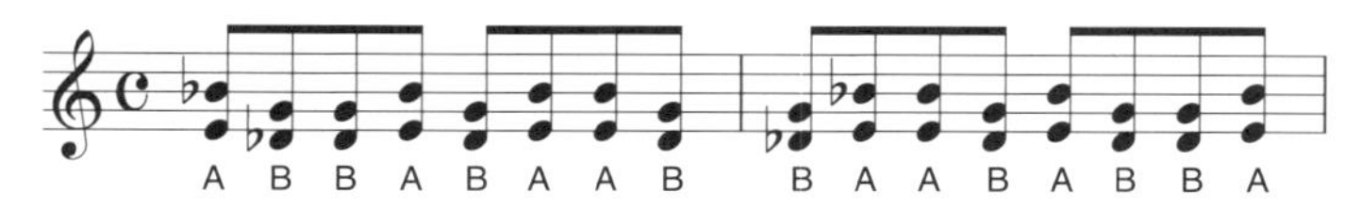

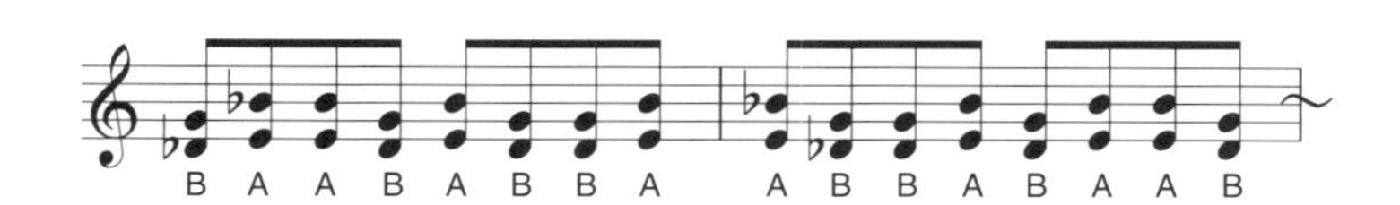

❚ 両手での応用例

❚ アドリブの応用例

上記のパターンに、リズムで変化をつけたバリエーションの例

単音とコードを組み合わせたパターン例（イントロやバッキング等にも使えます）

さらに自由に発展させたリズミックなパターン例

単音のみで作ったアドリブフレーズ例

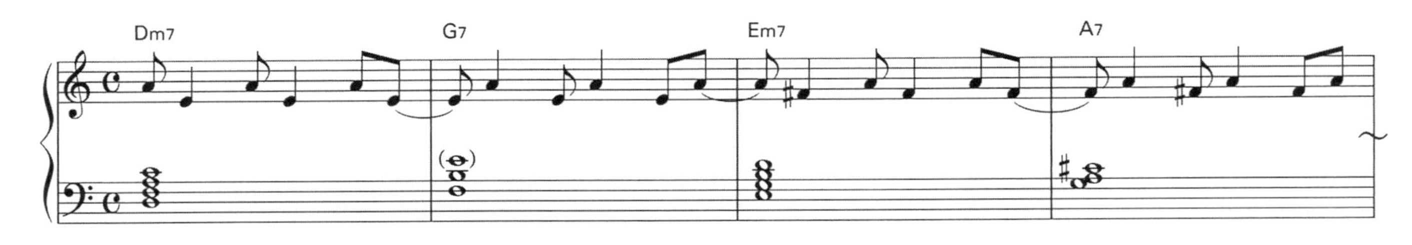

第2章
小ワザでお手軽アドリブ

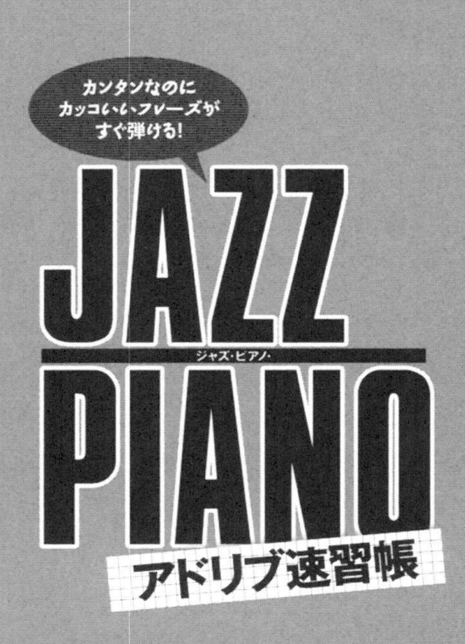

白鍵だけで弾くアドリブ

白鍵上の音、つまりドレミファソラシドしか使わない、最もやさしいアドリブ方法を学びましょう。

Cメジャー・スケールのアドリブ

ジャズの演奏は、最初と最後にテーマがあり、その間にアドリブが何コーラスか入るのが一般的な構成です。特殊なものを除いて、曲にはコードが示され、そのコード進行に沿ってアドリブが演奏されます。さらに各コードには、機能別にスケールが設定され、コードとスケールがセットでアドリブの基盤になっています。

次の４小節のフレーズを弾いてみてください。**尚、ここからはジャズ特有のスウィングのリズム ♫＝♩♪（3連）で基本的に演奏しましょう。**

❒ 白鍵だけでできたフレーズ

これは｜C　Am｜Dm　G｜Em　Am｜Dm　G｜の循環コードで、白鍵のみを使ってアドリブ演奏したものです。先ほど、アドリブはコード進行をもとにして作られる、と書きましたが、これは、言い方を換えると、コードを構成している音はすべてアドリブに使える、ということになります。そこでまず、このコード進行で使われているコードの構成音を１オクターブ内の鍵盤上で表わしてみると、右の図のように白鍵の音すべて、つまりＣメジャー・スケールのドレミファソラシドがきれいに埋まります。

❒ 鍵盤上のコード構成音

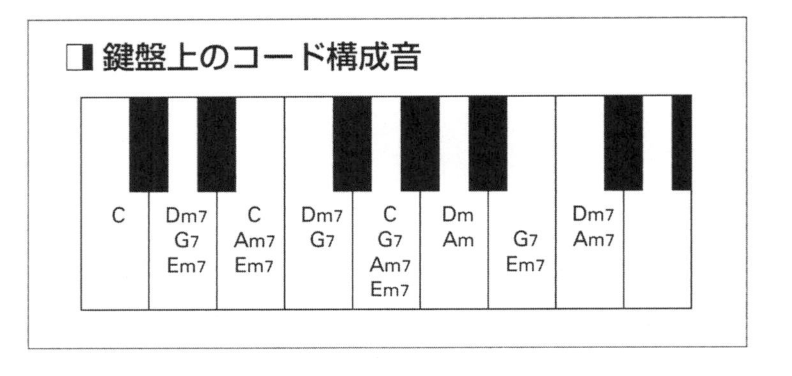

一方、アドリブで使用している音と、そのコードの構成音を比べてみると、右表の一番右側に書かれた音は、各コードには含まれていない音となっています。一体、これらの音は、どう考えたら良いのでしょうか？　ここで、もう１度右表の中央のコード構成音を見てください。このコード進行で使われている各コードは白鍵（Ｃメジャー・スケールの音）を１つおきに重ねた音からできています。

コード	構成音	含まれない音
C	ド　ミ　ソ	シ　と　ラ
Am7	ラ　ド　ミ　ソ	ファ
Dm7	レ　ファ　ラ　ド	ソ
G7	ソ　シ　レ　ファ	ミ
Em7	ミ　ソ　シ　レ	ド
Am7	ラ　ド　ミ　ソ	シ　と　レ
Dm7	レ　ファ　ラ　ド	ソ　と　ミ
G7	ソ　シ　レ　ファ	ミ

このようなコードをダイアトニック·スケール·コード（ダイアトニック·コード）といいますが、コード進行が、メジャー·スケール上のダイアトニック·スケールの音だけでできている場合、一括してそのキーのメジャー·スケール（ドレミファソラシド）でアドリブしてしまうことができるのです。コードごとに１つ１つ構成音やスケールを考えなくて済むので、簡単ですね。

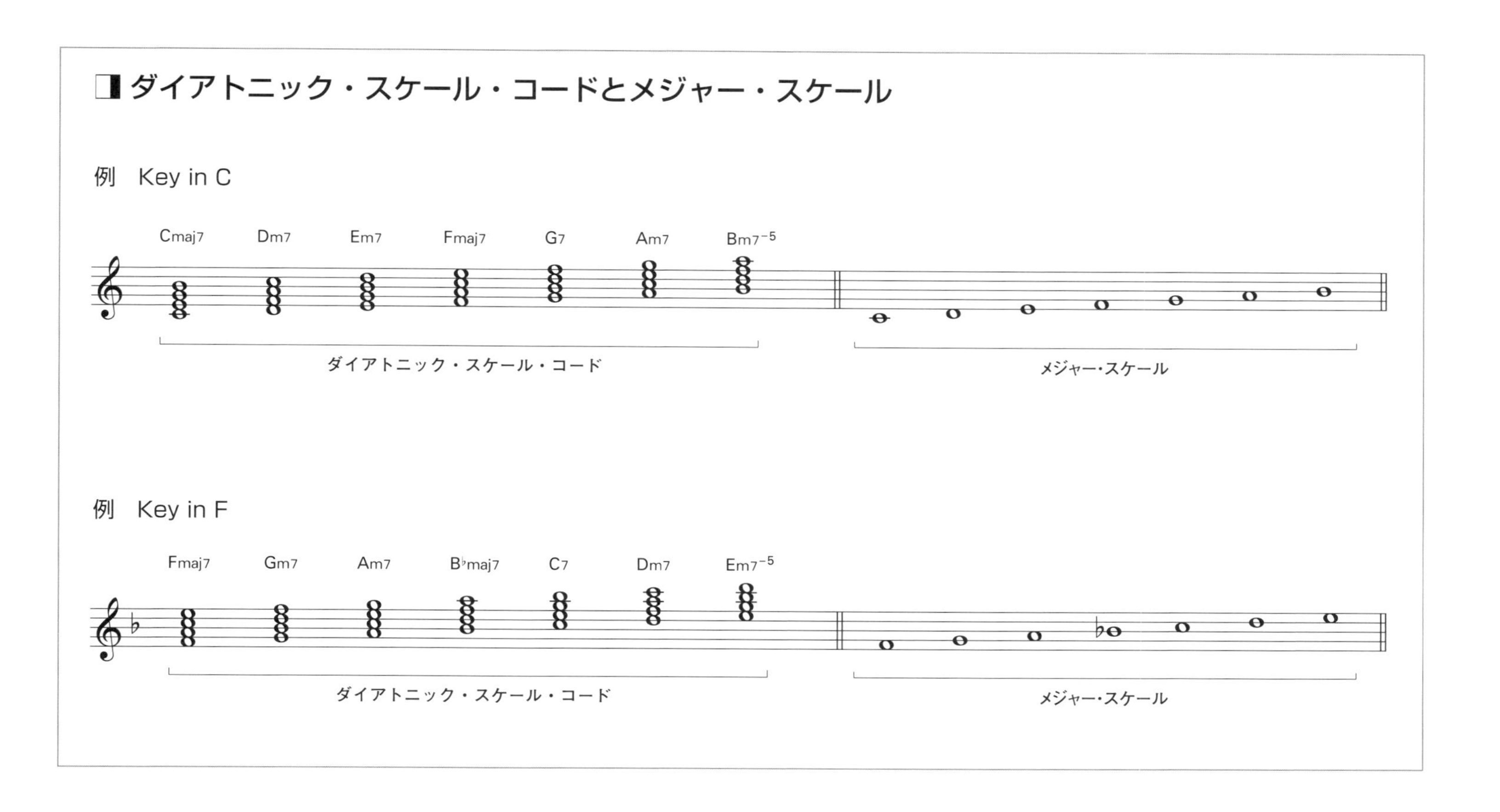

COLUMN　セッションのススメ

アドリブのスキルを磨くには、是非、セッションなどに参加してアンサンブルを経験してみることをおススメします。リズム感や小節感覚が格段に良くなり、臨機応変な演奏に必要な反射神経や初見力も鍛えられます。他の楽器からインスパイアされて、自分でもハッとするようなアドリブが弾けたりするのもセッションならではの楽しさです。

セッションでは、スタンダードやブルース、“循環モノ”（※）がよく演奏されます。パート間で４小節ごとにアドリブをまわす４バース、８小節ごとの８バースはCDなどで演奏方法をチェックしておきましょう。イントロはピアノが担当することも多いので、簡単なパターン（できればエンディングも）を良く使われるキーC、F、B♭、E♭などで弾けるようにしておくと安心です。

※「Oleo」「I got rhythm」などI–VI–II–Vの循環コードからできている曲のこと

ドレミファソラシドの並べ替え

それでは、C のキーのダイアトニック・スケール・コードだけを使ったコード進行｜F｜Em｜Dm｜C｜で、フレーズを作ってみましょう。

まず最初は、C メジャー・スケールのドレミファソラシドを上行、下降する簡単なフレーズです。次の 2 つのフレーズ、どちらも音的に間違ってはいないのですが、この方法だけで延々と弾き続けるのは、ちょっとキビシイかな！？…という感じがするはずです。試しに弾いてみましょう。

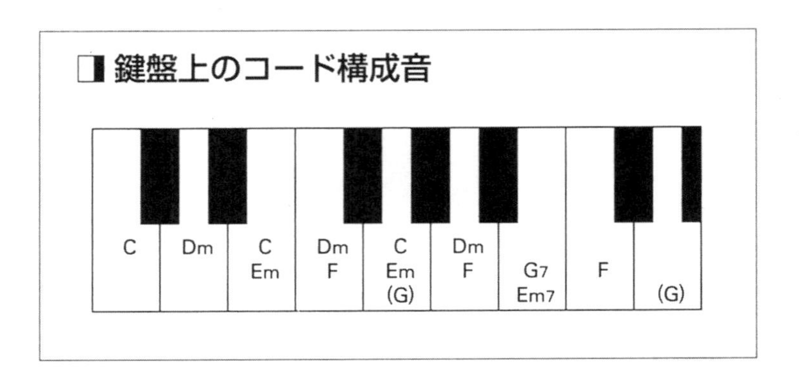

A　スケールをそのまま上行・下降

F　Em　Dm　C

B　コード・アルペジオを使ってスケールを上行・下降

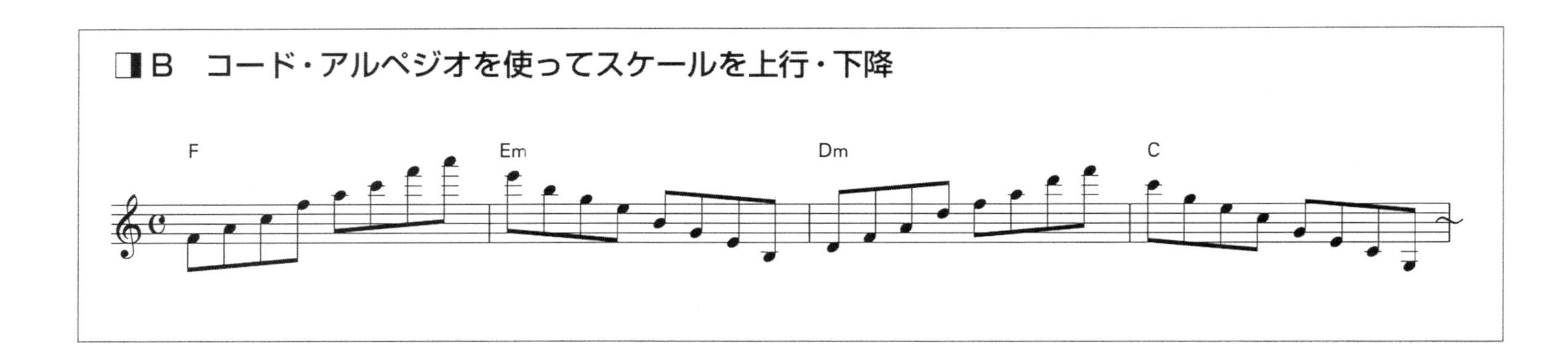

どうですか？　これでは、いかにもスケールとコードそのまま、と言った感じですね。

では次のページで、A はリズムを変化させて、B はコードとコードの連結になるべく隣同士の音を使うように作り変えてみます。

■ A'　リズムに変化を付ける

F　Em　Dm　C

■ B'　リズムに変化を付け、コード同士をなめらかにつなぐ

ジャズは直球よりも変化球が得意

さあ、少しメロディらしくはなってきましたが、まだちょっと物足りない感じでしょうか。それでは、さらに手を加えて、もう少しアドリブっぽいフレーズにしてみましょう。まず、A'、B' のフレーズから小節のバーをはずして音だけを抜き出し、順番に並べます。

こうして、フレーズから音符の音価（音の長さ）を除くと、音の向かう方向がよく分かりますね（ちなみにアドリブをする時は、自分がどこに行きたいのか音の方向を明確に意識して弾くことは大事なことです）。

■ A' の音の配列

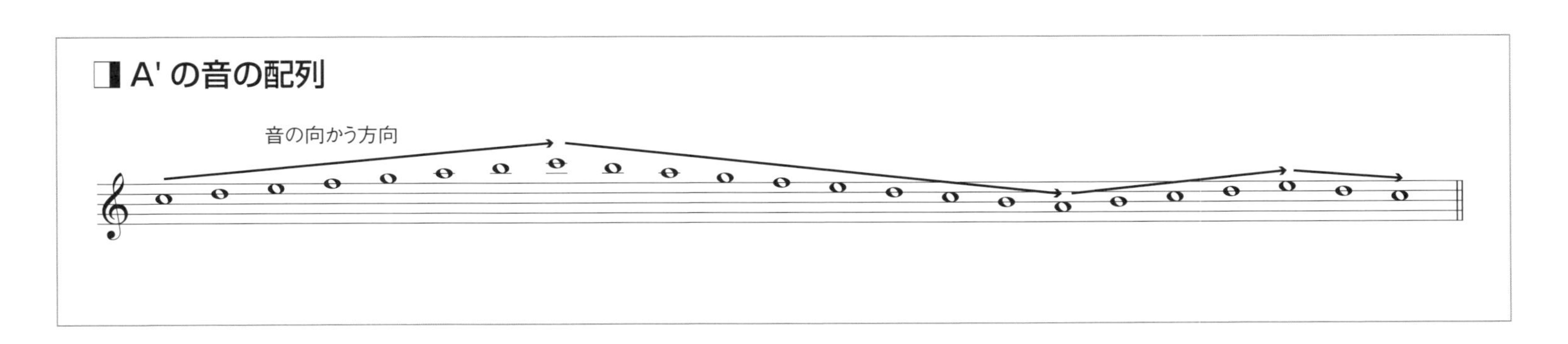

■ B' の音の配列

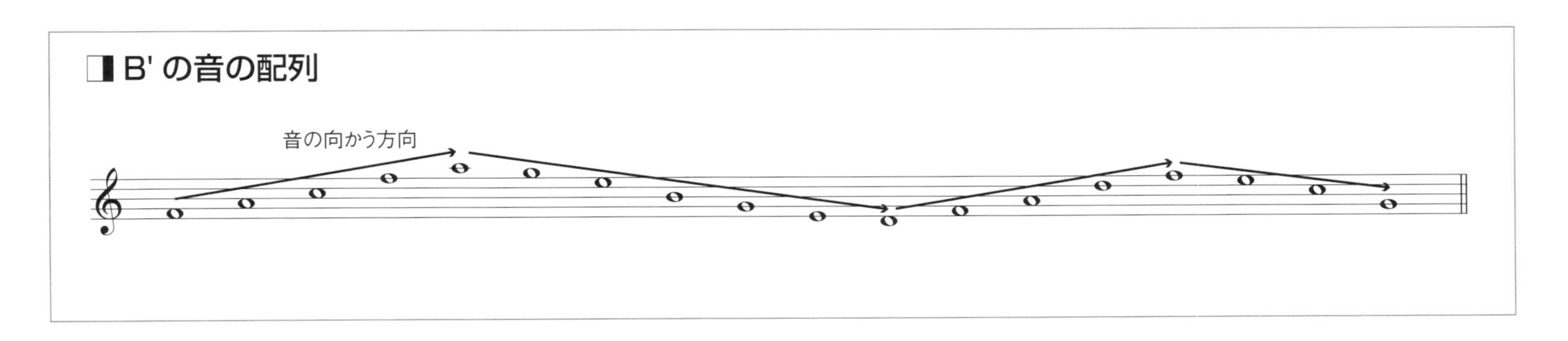

P.23の音価をなくした音列は、スケールを素直に上行・下降するゆるやかな波形を描いていますが、今からその所々に適当な音を入れて小さな波を起こしていきましょう。その時、不要な音は削除しても構いません。次の譜例の枠で囲ったところが、新しい音を入れた箇所で、削除した音には×を付けてあります。

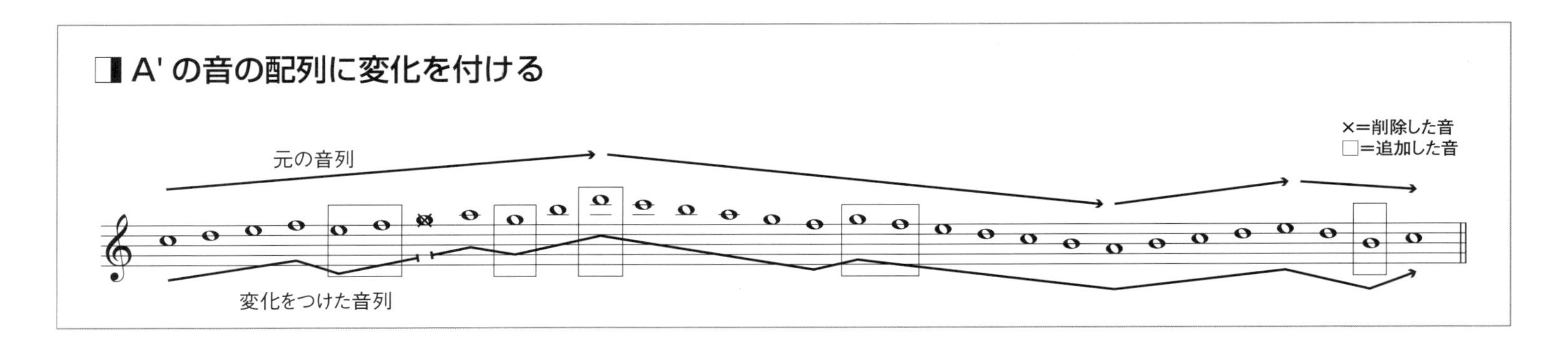

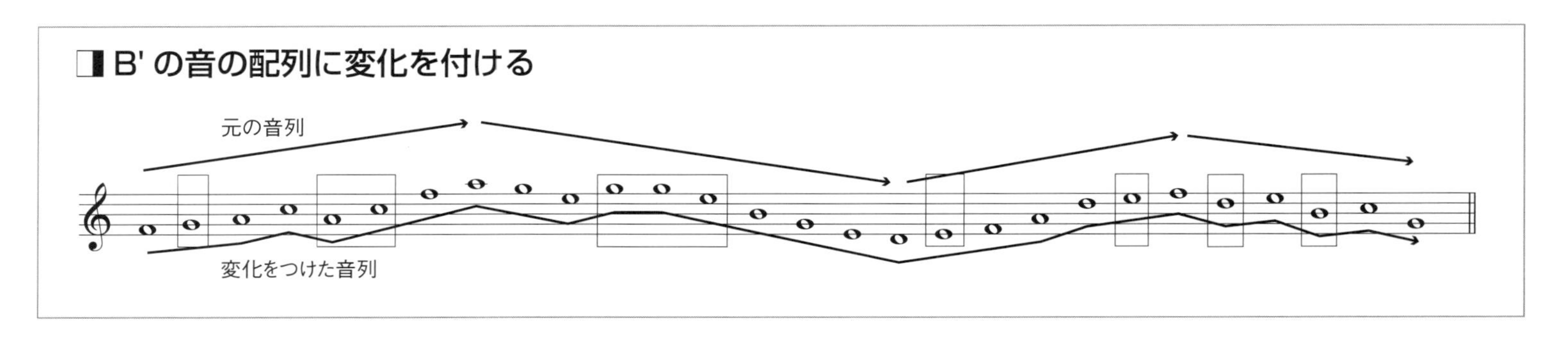

イメージとしては、少しだけ**音列の流れに逆らったり、揺さぶりをかける**ことによって、ストレートなフレーズの流れに変化を付ける感じです。ジャズのフレーズには、ストレートなラインよりも、このような変化球で遊ぶようなラインで表現されるものがとても多いのです。

では、それぞれ出来上がった音の配列からフレーズを完成させてみましょう。

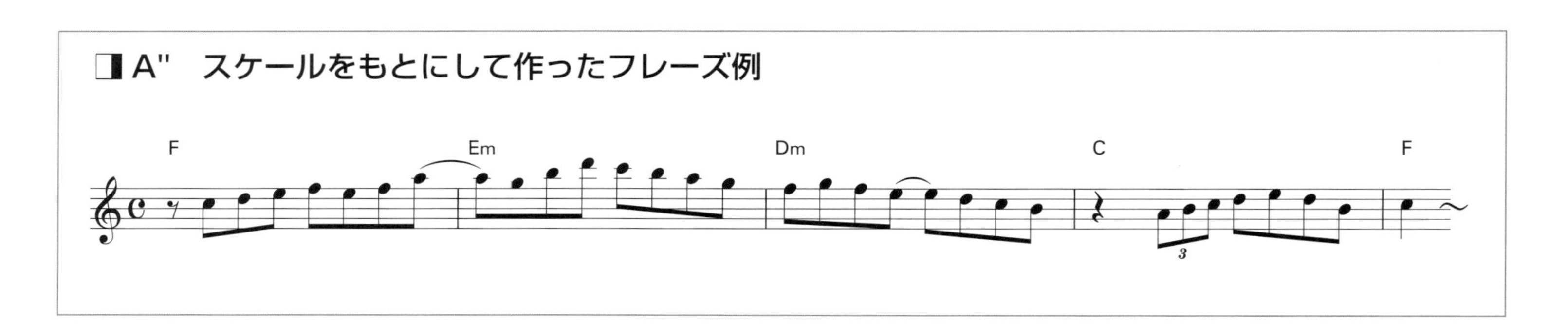

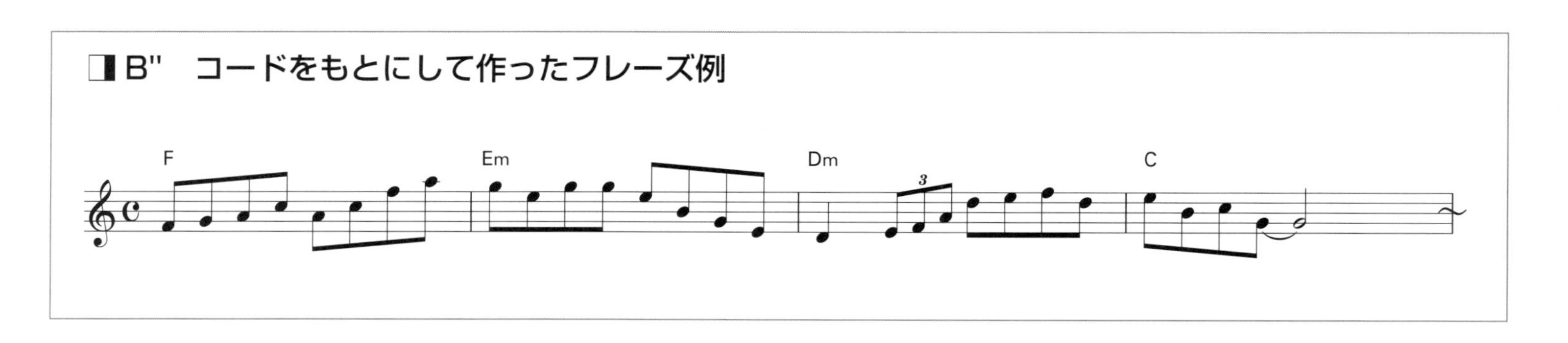

挑戦！　華麗なる白鍵フレーズ

新しい音を加え、だんだんアドリブっぽくなってきました。さらに新しい手法を使って、白鍵だけのアドリブを思いっきり華麗に仕上げてしまいましょう。

音の跳躍

前項では、スケールやコード･トーンの間を、隣接する音やその周辺の音で埋める練習をしました。しかし、実際のアドリブでは、1オクターブくらい音が跳ぶことは珍しくありません。大胆な音の跳躍は、フレーズに躍動感を与え、広範囲の音域を使ったフレーズは華やかさを演出します。ここで紹介する他にもいろいろな跳躍フレーズを試してみましょう。

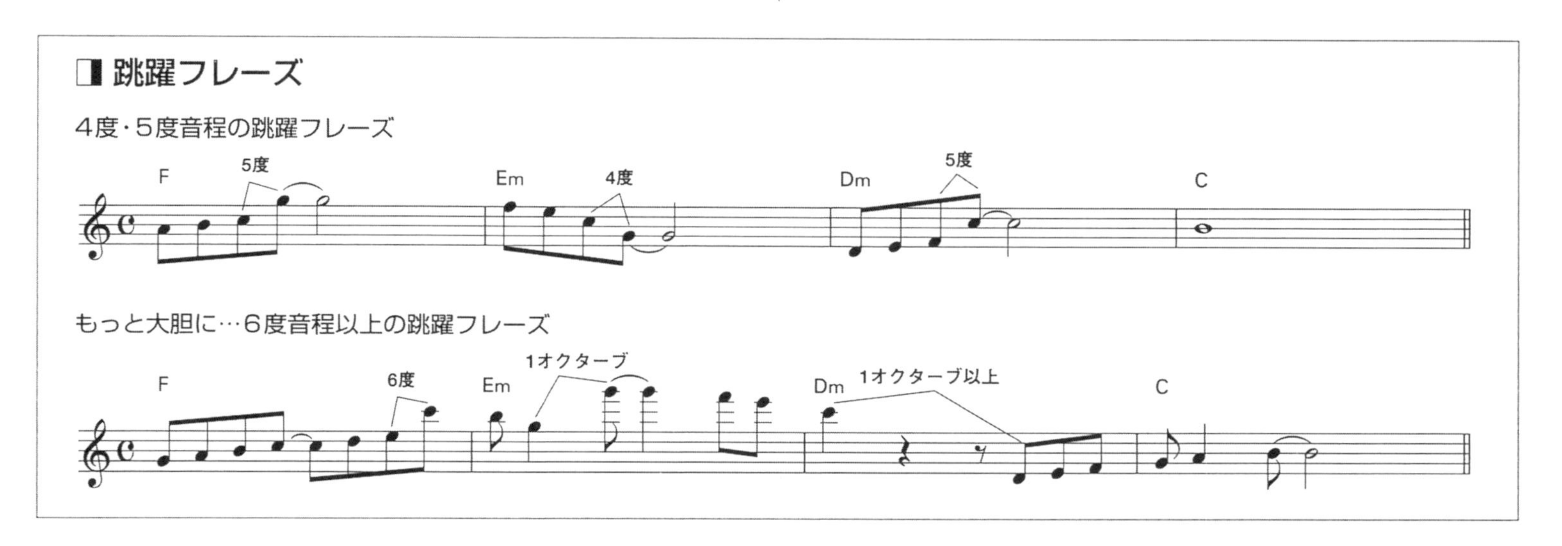

即席シーケンス・パターン

白鍵で弾くアドリブのとっておきの切り札は、手軽に作れて華やかさを演出できる**シーケンス・パターン**です。シーケンス（sequence）とは直訳すると「連続･反復」の意味ですが、音楽用語では、演奏を盛り上げたい時などに使われる機械的な短いフレーズの繰り返しをさします。

シーケンス･パターンには1つの音型の単位が4分音符1拍程度の短いものが多く、速いフレーズで使われます。いろいろな音を使う方法がありますが、最も基本的なメジャー･スケールの音だけでも、充分にバラエティ豊富で聴き映えのするパターンを作ることができます。

Cメジャー・スケール上のシーケンス・パターン

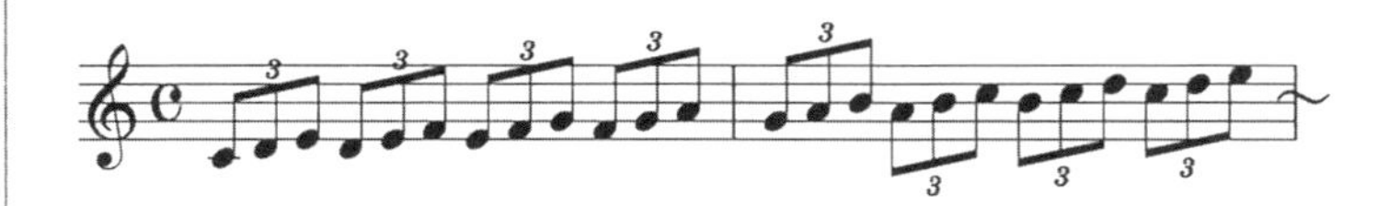

さらに、スケールの音列を組み替えていろいろなパターンを作ることができます。いろいろなバリエーションを考えてアイデアの引き出しにストックしておきましょう。また、粒を揃えて正確なリズムで連打するように弾きましょう。

休符は寡黙なる名脇役

ピアノは、管楽器のような息つぎの必要がないので、ついダラダラと弾き続けてしまうことがあります。長過ぎるフレーズは聴く方にとってもメリハリがなく、ダレてしまったり、また逆に変な緊張感を強いられたりするものです。意識的にそれを狙う場合は別として、**フレーズの適当なところで休符を入れて区切りを付け、まとまりのあるフレーズを作る**ように心がけましょう。

また、絶妙なタイミングで入る休符は、実音にも匹敵する存在感で、テーマやメロディ・フェイク、アドリブ、いろいろな場面で"間"の表現手段として使われます。

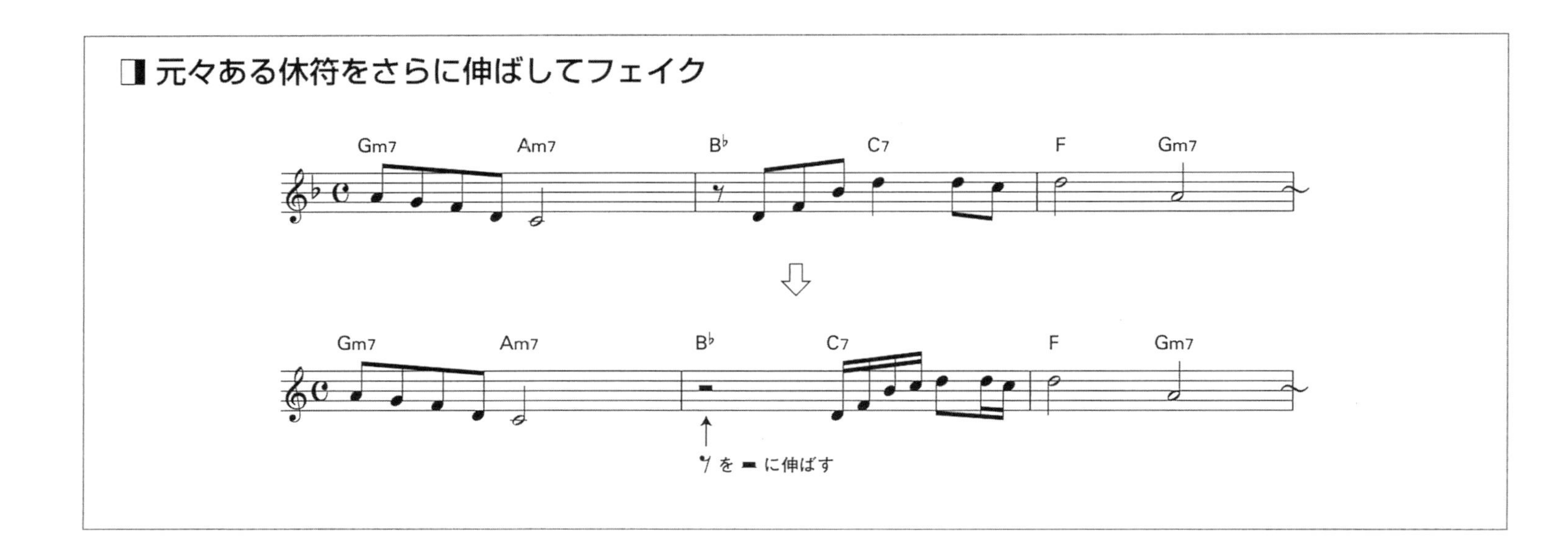

実際の生演奏のライブなどでは、アドリブ演奏の途中で数小節の休符も珍しくありません。空間を必ず音で埋め尽くす必要などないのです。アドリブに詰まった時なども、思いきって休符を入れて仕切り直したら、かえって良いアイデアが浮かぶこともあるかもしれません！?

❏『朝日のようにさわやかに（by ウィントン・ケリー）』いろいろな長さの休符を利用した緩急のある印象的なアドリブはさすが名人！

練習

それでは、ここで再びダイアトニック・スケール・コードを使った｜Fmaj7｜Em7｜Dm7｜Cmaj7｜でアドリブ演奏をしてみましょう。まずは、P.23～P.27を参考に「ドレミファソラシド」をいろいろな音符や休符を使って自由に上行・下行してみてください。慣れてきたら、音の跳躍やシーケンス・パターン等にも挑戦してみましょう。

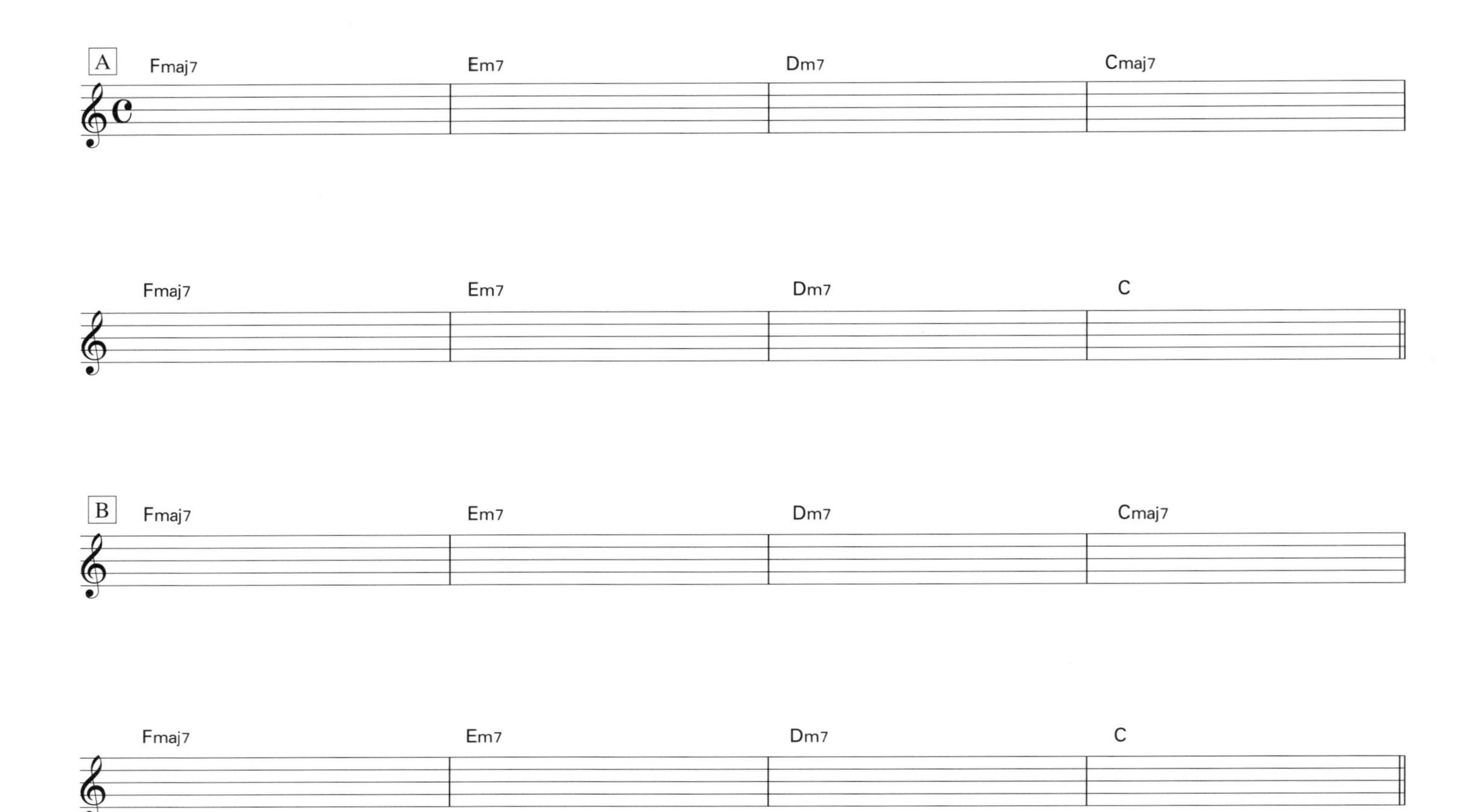

解答例

POINT

・メジャー・スケール上の音のみで作られたコード進行では、そのキーのドレミファソラシドを使ってアドリブをすることができる（※ ドレミファソラシド以外の音でも短い音符の場合は、フレーズの経過音として使うことができます）。

・スケールやコード・アルペジオは、音の向きや音程に変化を付けたり、休符やシーケンス・パターンを使うなど、工夫して使う。

COLUMN スウィングしてればすべて良し

ジャズのコピー譜をその通りに弾いているのに、「なんかCDの感じと違うなあ…」と思ったことはありませんか。譜面だけでは再現しきれないジャズ特有のノリ、それが「スウィング」です。

ジャズは、クラッシックなどの音楽とは異なり、裏拍、つまり、４ビートの２拍目と４拍目を強調するリズムが特徴です。強拍と弱拍が入れ替わることによって独特の躍動感あふれるビートが生まれます。タイや休符を使ったシンコペーションは、スウィング感を出すために欠かせない手法です。

ジャズのアドリブでは、多少、音をはずしても、リズムに乗ってスウィングしていればＯＫ。それどころかミストーンからスリリングに展開されるフレーズは、即興の醍醐味であったりもします。ところが逆に、どんなに良いフレーズやハーモニーでも、リズムがズレてしまうとすべてが台無しになってしまいます。ジャズにおいて「スウィングしている」ことは重要な要素なのです。

ブルースのアドリブに挑戦！

ブルースのアドリブにトライしてみましょう。

ブルースの仕組み

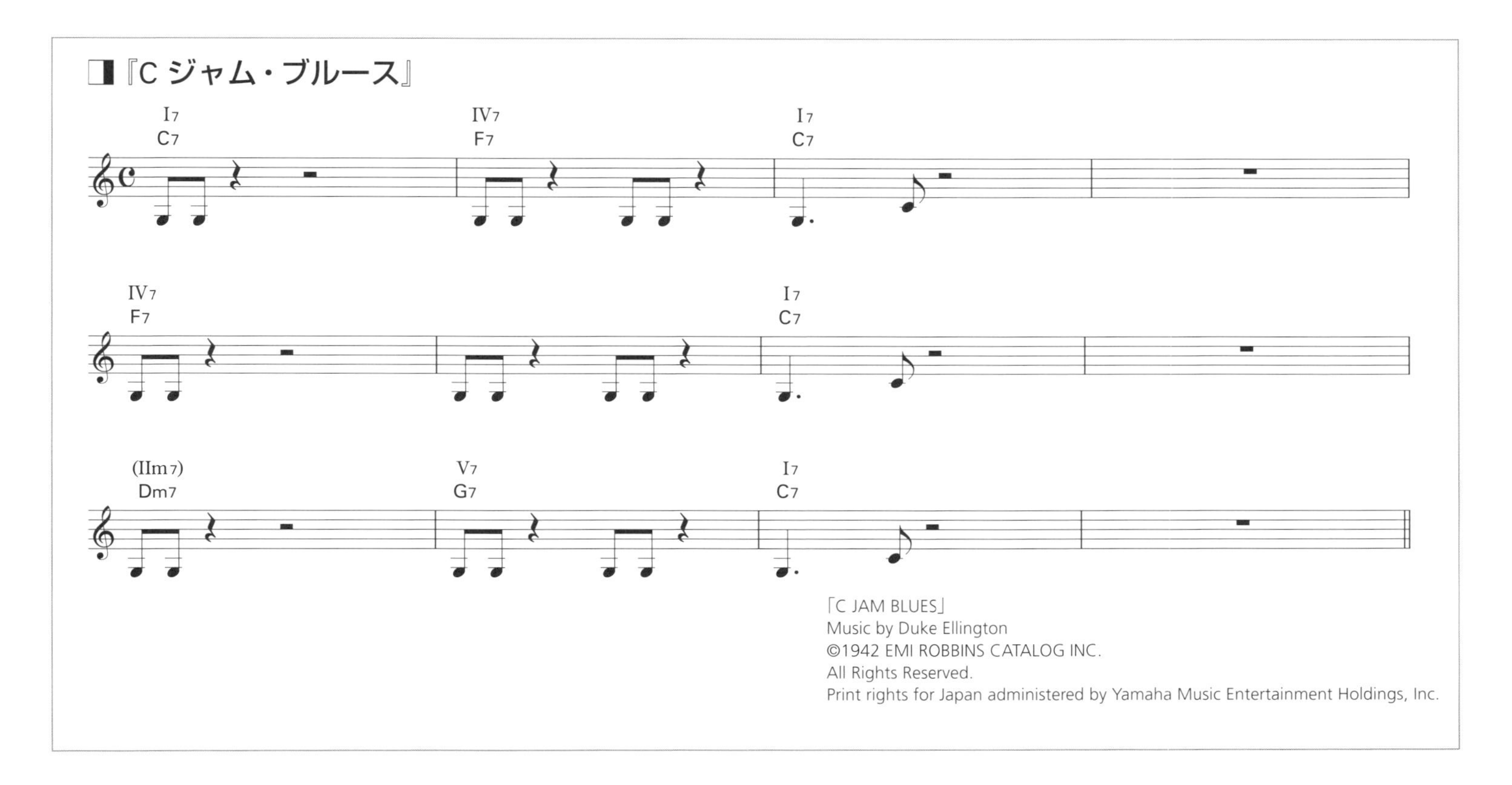

ブルースは **1 コーラスが 12 小節で、Ⅰ7、Ⅳ7、Ⅴ7 のスリー・コードを骨組みとする定型のコード進行**からできています。また、ブルージーな雰囲気を出すために、トニック・コードを含め、**すべてのコードに 7th を付けて演奏される**という特徴があります。ブルースのコードには欠かせないセブンス・コードですが、その中でも代表的なものとして、次のようなテンションを含んだヴォイシングがあります。

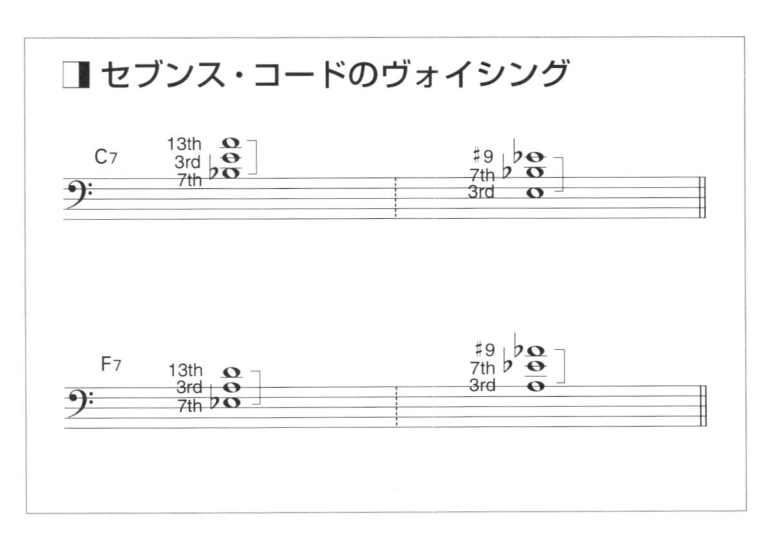

このヴォイシングは、一番上と一番下の音程が長７度なので、うっかりメジャー・セブンスの明るくオシャレなサウンドをイメージして弾くと、3rdと♯9、あるいは♭7と13thの音が半音でぶつかりあう独特なテンション感に面食らってしまうかもしれません。この、いかにもジャズっぽいヴォイシングはアドリブでもよく使われますので、押さえ方をしっかり“押さえて”おきましょう！

ではここで、皆さんよくご存知の『ハッピー・バースデイ・トゥー・ユー』をセブンス・コードでアレンジした、超ブルージー版『ハッピー・バースデイ・トゥー・ユー（ブルース・アレンジ）』を弾いてみましょう。

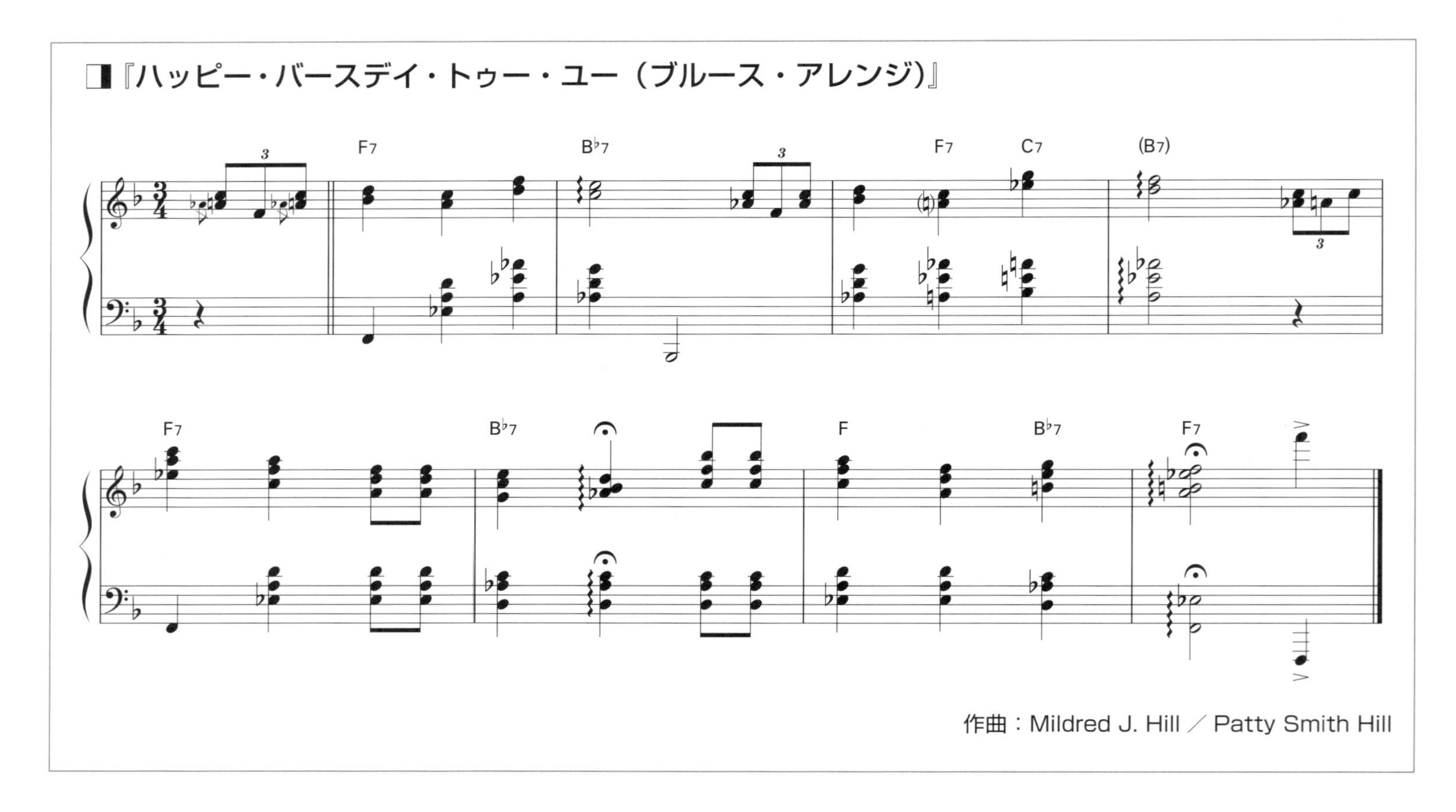

どこでも“ブルーノート”

ブルースでは、**ブルーノート**といって、メジャー・スケールの３、５、７番目の音を半音下げた音（♭3、♭5、♭7）が特徴的に使われます（図中①）。ブルーノートをメジャー・スケールに組み込んだものが、ブルースの基本**ブルーノート・スケール**です（図中②）。ただし、実際には③のようなスケールがよく使われます。
※本書では、③についても「ブルーノート・スケール」の名称を使用していますが、③の６音によるスケールを「ブルース・スケール」と区別して呼ぶことも多いようです。

また、ブルーノート・スケールは**コード進行に関係なく使うことができる**上に、スケールそのものにテイストがあるため、ただ**スケールをなぞるだけでもそれなりに格好が付いてしまう**という、アドリブ初心者にとってはとても有難いスケールなのです。

さらにブルーノート・スケールは、ブルージーなテイストを出す小道具として、ジャズ、ロックからJ-POPに至るまで、あらゆるジャンルの音楽で使われています。

ロックでブルーノート・スケールを使用した例

また、ブルーノート・スケールは、ブルースで演奏されることが多いF、B♭のキーでも弾けるようにしておきましょう。

Fブルーノート・スケール

B♭ブルーノート・スケール

ブルー・ノート・スケールの使い方

ブルー・ノート・スケールは、スケール音をランダムに分散して使用するのではなく、「**一定の方向性**」と「**連続性**」をもって配列する事によってブルージーな響きとなります。ブルー・ノートを隣接するスケール音やコード・トーン等に繋げて、フレーズを自然な流れにするのがコツです。

key in C /C ブルー・ノート・スケールの例

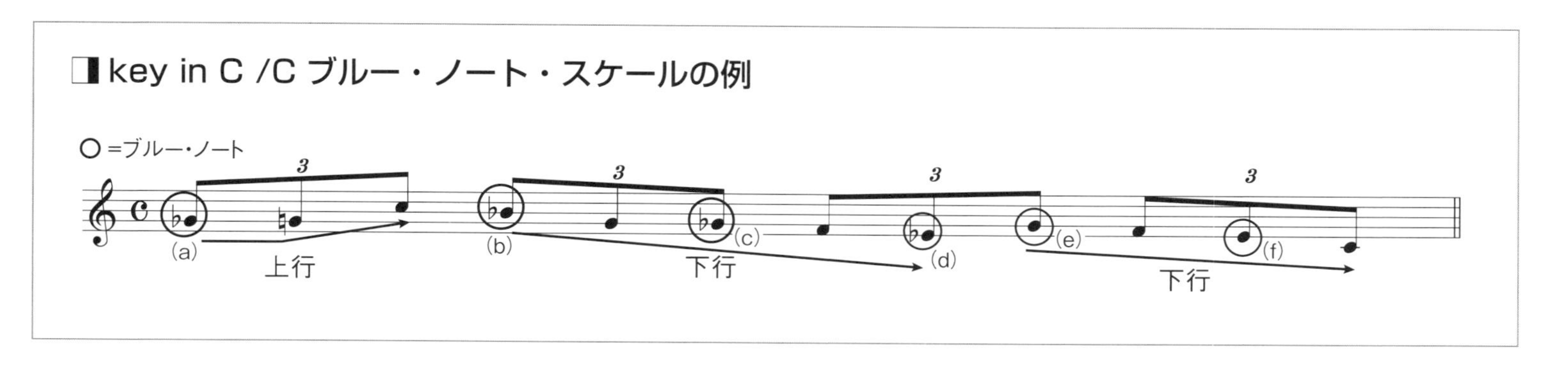

解説　(a) ♭5th から ♮5th へ上行　(b) ♭7th から ♮5th へ下行　(c) ♭5th から 4th へ下行
(d) ♭3rd から ♭5th へ上行　(e)♭5th から 4th へ下行　(f) ♭3rd からトニックへ下行

練習

メジャー・スケールのフレーズに臨時記号を付けて、ブルーノート・スケールのフレーズに作り替えましょう。

1　Key in C

2　Key in C

3　Key in F

解答例

1

2

3

ブルージーな演出テクニック

ブルースでは、メロディの上によく別の音を重ねて弾くことがあります。この時、メロディを装飾音と一緒にアクセントを付けて弾くこともあります。

ブルージーな演出テクニック 1

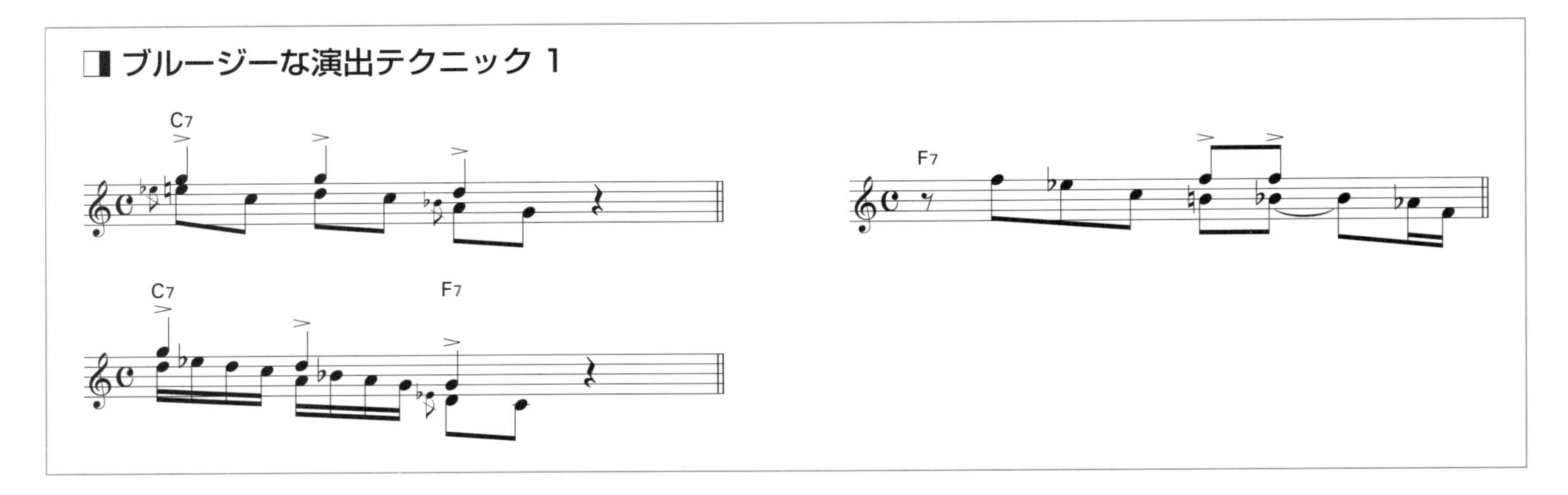

また、ブルーノートを装飾音として、黒鍵から白鍵に指で鍵盤をすべらせて弾くのもブルースピアノの特徴です（白鍵から黒鍵に行く時は使えません）。

ブルージーな演出テクニック 2

メジャー・ブルース・スケール

一般的にブルー・ノート・スケール（ブルース・スケール）と言えば、メジャー・スケールの 3rd・5th・7th を半音下げたものを指しますが、ブルース・スケールとしてもう１つ、その平行調の関係となる「**メジャー・ブルース・スケール**」があります。メジャー・ブルース・スケールに対し、前者は「**マイナー・ブルース・スケール**」として区別されます。

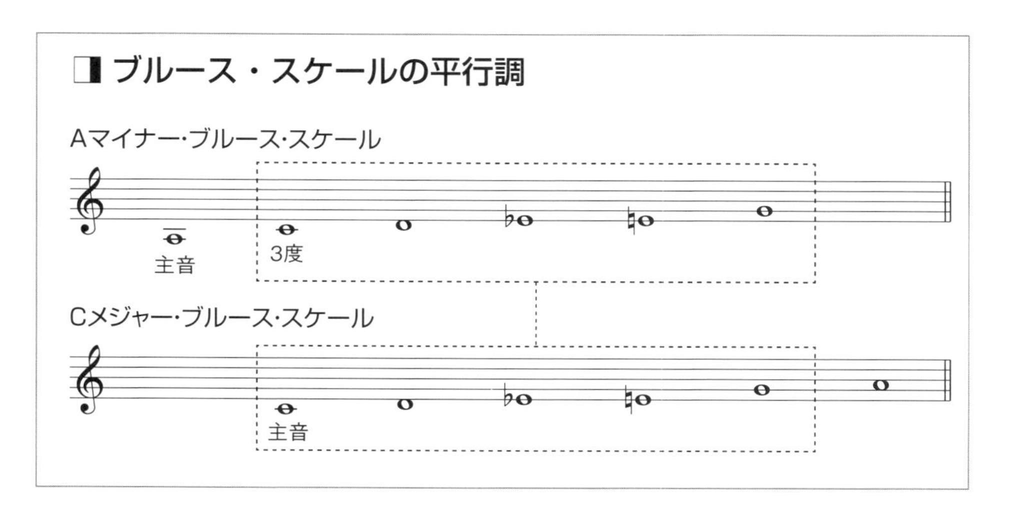

メジャー・ブルース・スケールは、マイナー・ブルース・スケールの３度（♭3rd）を主音（トニック）とし、スケールの構成音と並び方はそのまま平行して同じです。また、２つのブルース・スケールはそれぞれのキーに基づいて使用されます。

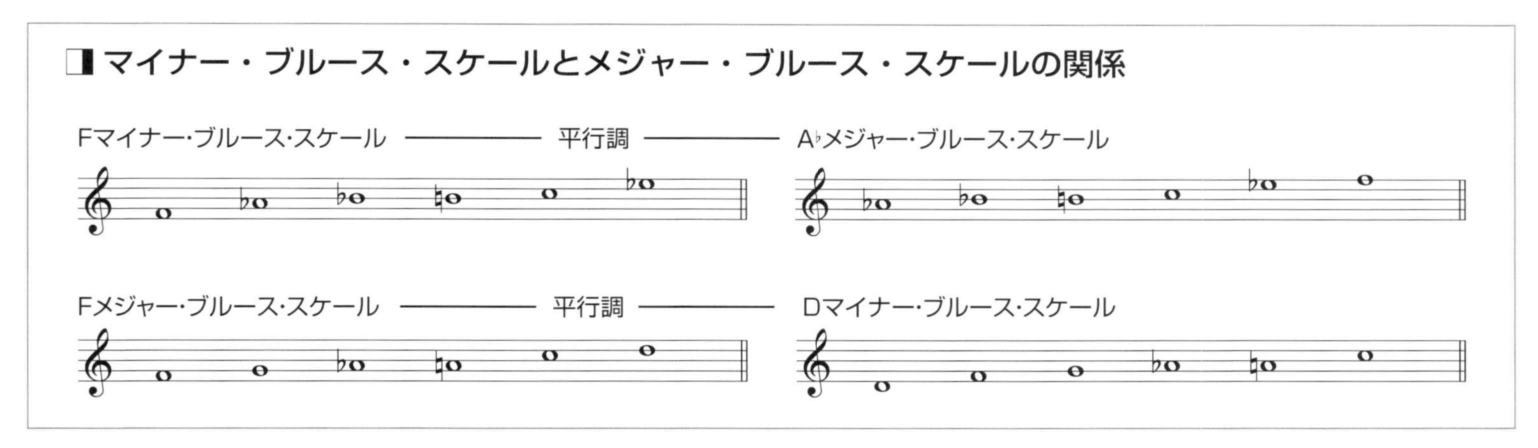

マイナー・ブルース・スケールは、メジャー・コードとマイナー・コードの両方で使用可能なのに対し、メジャー・ブルース・スケールはマイナー・コードで使用した場合、スケールの♮3rd とコードの♭3rd が♭9th の不協和音となるので注意が必要です。

使い方がポイント！　ペンタトニック

ペンタトニック・スケールとは５つの音でできたスケールのことですが、ジャズではメジャー・スケールの４番目と７番目の音を抜いた「ドレミソラ」の音列のものを指す場合がほとんどです。

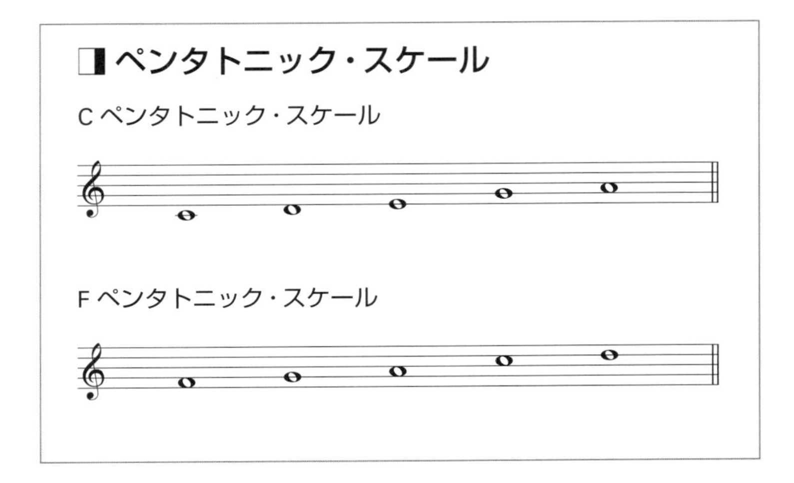

ペンタトニック・スケールの「ドレミソラ」の音の配列を短３度下の「ラ」から始めて「ラドレミソ」にしたものを**マイナー・ペンタトニック・スケール**といいます。ブルースではブルーノート・スケールの「ラドレミ♭ミソ」から「ミ♭」の音を除いた「ラドレミソ」のマイナー・ペンタトニックが使われることが多いようです。

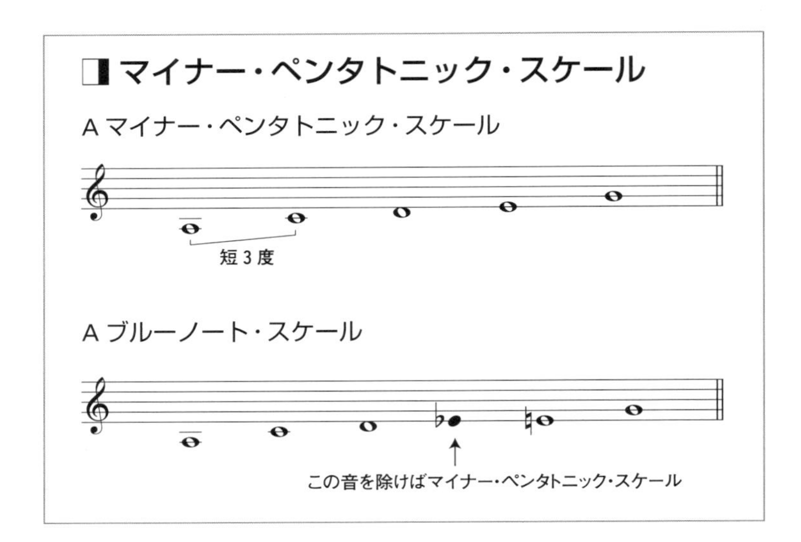

ペンタトニック・スケールは、さまざまなジャンルの音楽で使われています。同じスケールを使っても、リズムやコード、フレージングなどによって全く異なるテイストになります。

ブルースのコード進行・バリエーション

ブルースのコード進行は時代や演奏者等によって様々なバリエーションがあります。

まずは基本となるブルースのコード進行をトニック (I7)、サブ・ドミナント (IV7)・ドミナント (V7) の３つの機能で捉えてみましょう。

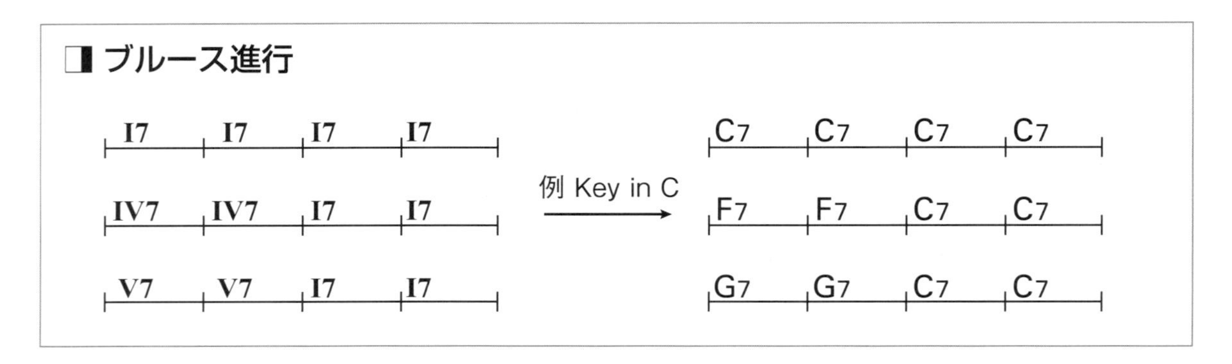

２小節目のI7はIV7に変えられる事がよくあります。また、初期のブルースでは10小節目のV7の代わりにIV7が多く使用されます。

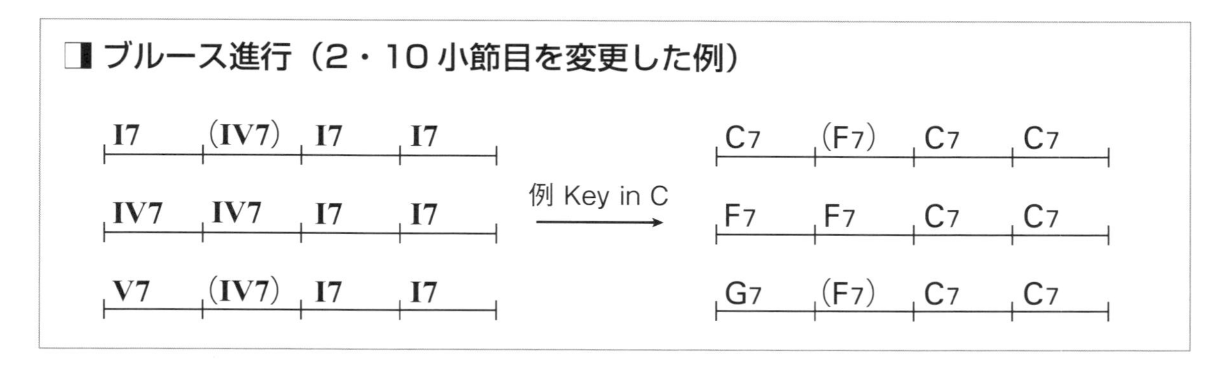

ジャズ･ブルースでは、ドミナントをツー･ファイブ(IIm7 − V7)に細分化したり、ディミニッシュ･コード、セカンダリー･ドミナント･コード(P.73参照)、裏コード、代理コード等(P.96～97参照)の使用により、コード進行が複雑化されます。P.31の「Cジャムブルース」はジャズ・ブルースで一般的なコード進行の一例です。

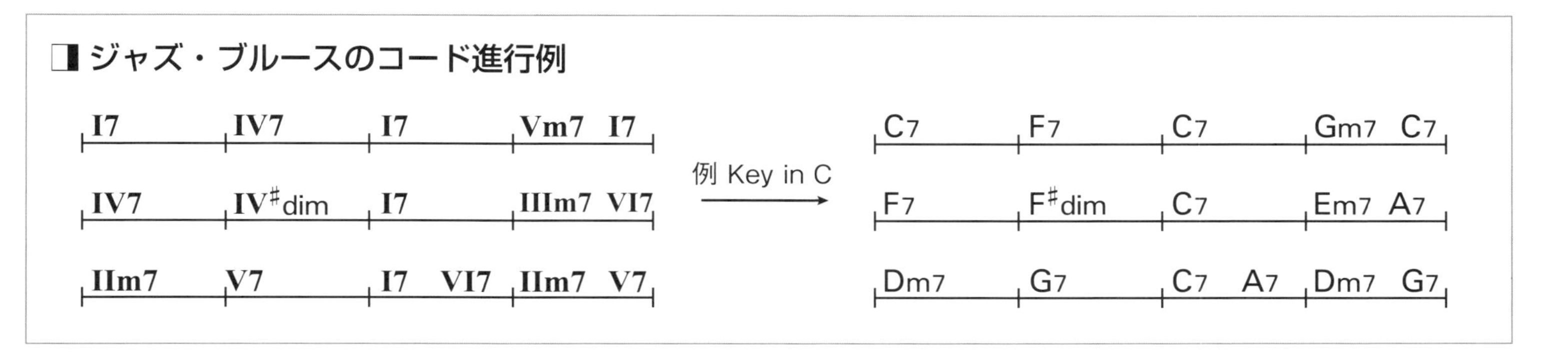

コードを他のコードに変換させる事をリハーモナイズと言います。リハーモナイズによって、使用されるテンションやスケール(P.73～82参照)の選択肢が増え、より複雑なアドリブが可能になります。ここで紹介したのはブルースのリハーモナイズの一部ですが、V7をIIm7 − V7に変えたり、トニック（I7）の前にドミナントを入れる等、リハーモナイズの手法の１つとして覚えておくと良いでしょう。

マイナーブルース

マイナーブルースは、次のコード進行が基本となります。9～10小節目は、IIm7(♭5) − V7で演奏する事もあります。

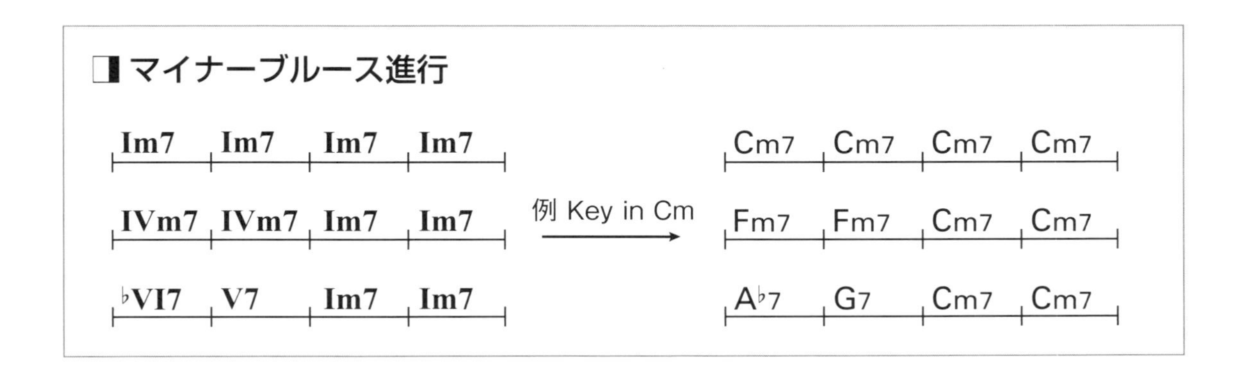

マイナー・ブルースには、メージャーのブルースのようにトニックがセブンス・コードとなる等の特殊性が無いので、一般的なマイナー・キーの曲と捉えて、通常のコードに沿ったアプローチでアドリブする事も可能です。また、曲を通してドリアン・スケールのみ使用する等、モード（P.88～91参照）で演奏する事もできます。

 ブルースの曲のテーマをアドリブのアイデアに活用

ブルースの形式やブルース・スケール、ペンタトニック等を使った様々なテーマ・メロディを分析する事は、アドリブの構築やフレーズを考える際のヒントになります。実際の曲をいくつか見てみましょう。

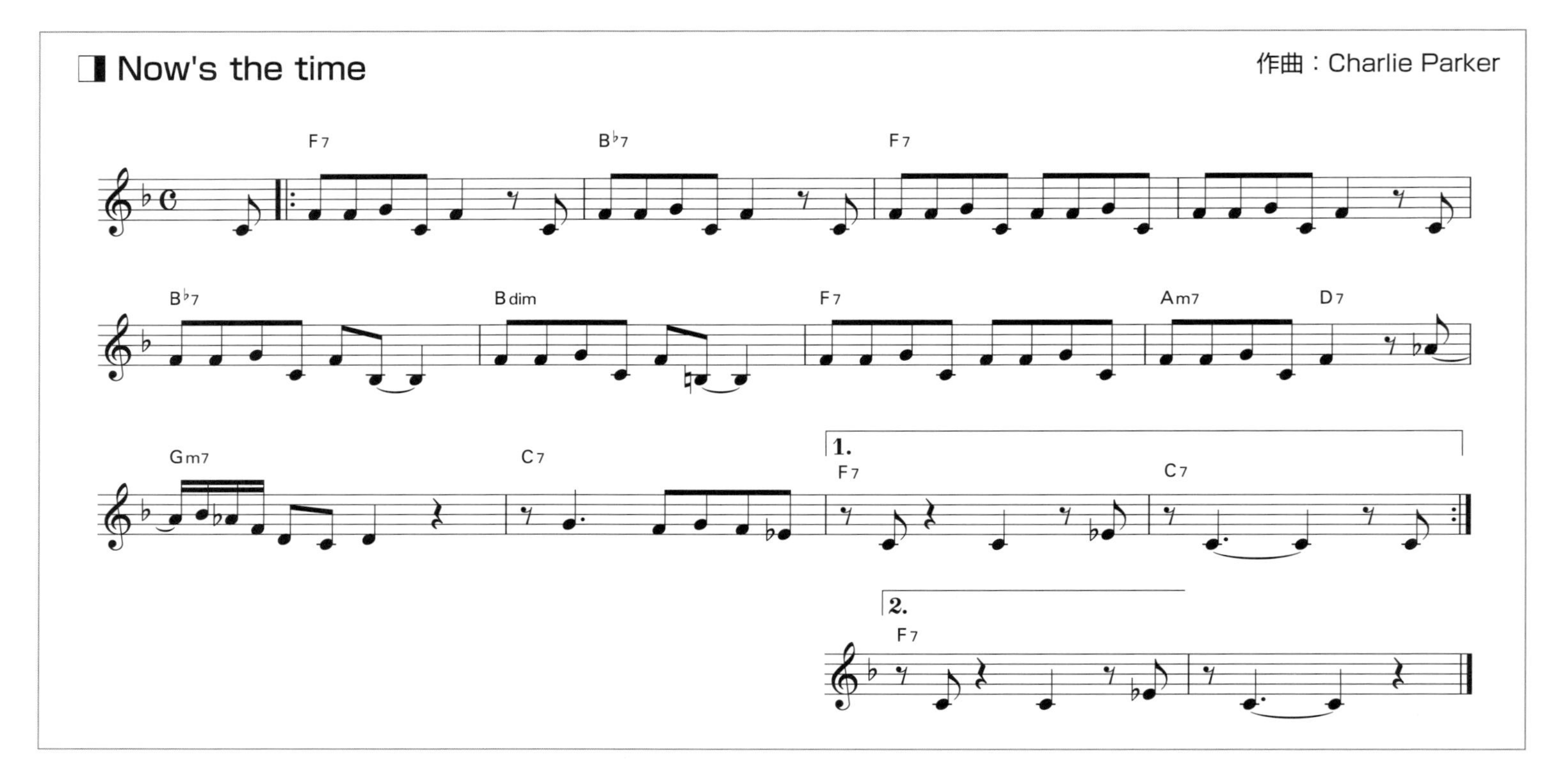

ブルースのテーマでは、シンプルなリフが繰り返される事がよくあります。例えばP.31「Cジャム・ブルース」は、5度（G音）とルート（C音）の2音による同じフレーズの繰り返しのみ。「Now's the time 」は最初の8小節でFメジャー・スケール上のルート（F音）、2度（G音）、5度（C音）の3音による短いフレーズとその変形（リズムの変化、B♭音、B音の使用等）が繰り返されます。

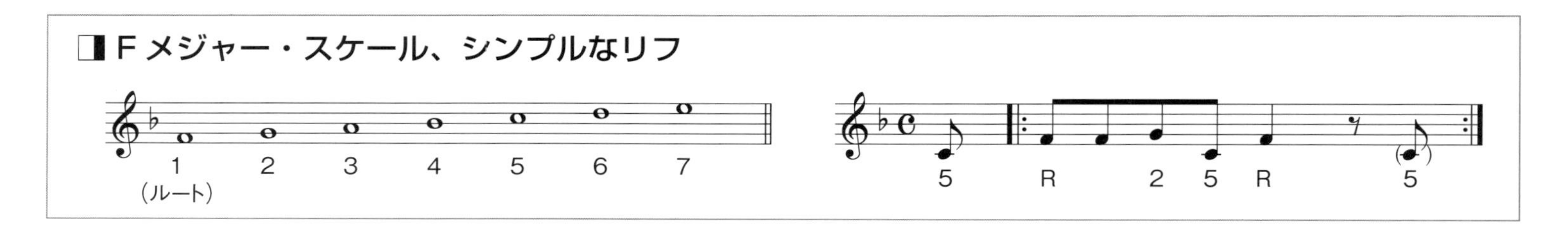

続く8小節目4拍目の裏拍から12小節目はFマイナー・ブルース・スケールとFメジャー・スケールの音(G音、D音)を使用したブルー・ノート・スケールのフレーズです。

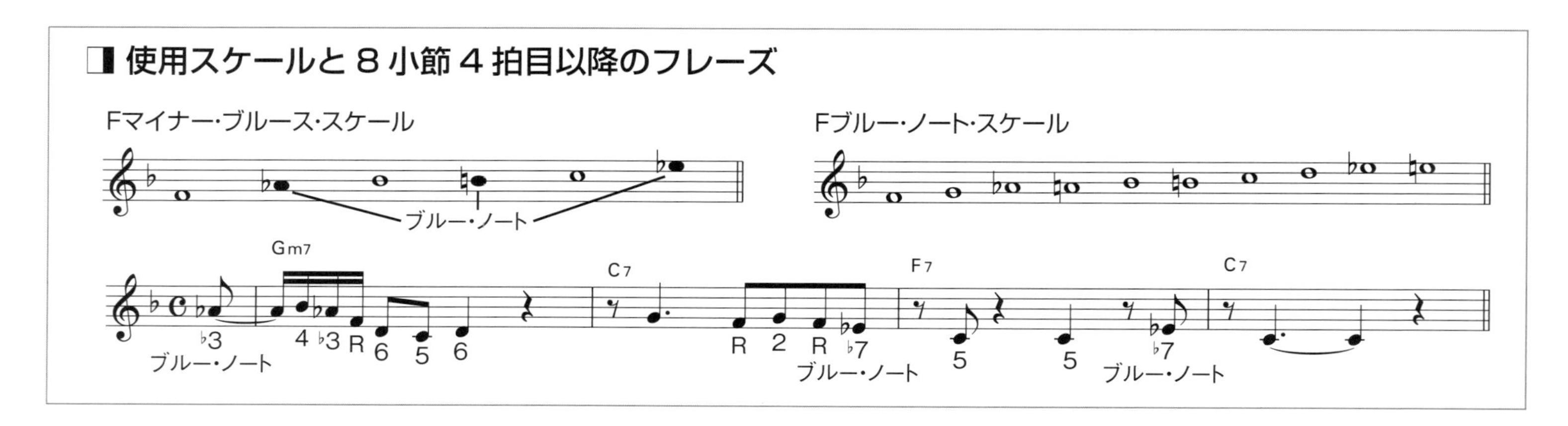

テーマのメロディ全体がＦマイナー・ブルース・スケールの６音のみでできています。１小節目から８小節目にかけてはマイナー･ブルース･スケールに沿ったフレーズがモチーフとして展開され、９小節目から 12 小節目は、同じスケールを使った別のフレーズになっています。ブルース･スケールの6音だけで立派に成立するテーマ･メロディのお手本とも言えるでしょう。

Ｃマイナー・キーのマイナー・ブルースです。テーマのメロディは、Ｃマイナー・スケールとCマイナー・ブルース・スケールから作られています。最初の４小節と次の４小節では、同じリズムのフレーズがCナチュラル・マイナー・スケール上で音程を変えて使用され、その後８小節目の２拍目からはCマイナー・ブルース・スケールのフレーズになります。

以上３曲の例からも分かるように、ブルースのテーマ・メロディは最初の４小節でモチーフ的なフレーズが動機として提示され、次の４小節で繰り返された後（または変形として再現された後）、新たなフレーズで帰結となるのが典型的な形式です。中には、この型に当てはまらない変化形もありますが、アドリブ・パートでは通常の 12 小節のコード進行パターンで演奏される場合が多いです。

練 習

ブルースに多いＦのキーでＦマイナー・ブルース・スケールを使った１～２小節のフレーズを作ってみましょう。また、作ったフレーズを応用して 12 小節のテーマ・メロディを完成させてみましょう。

解答例

1小節のフレーズ

解答例

12小節のテーマ·メロディ例（Fマイナー·ブルース·スケールの音から3音を使用）

１小節のフレーズを変形して２～３小節目で再現し、そのフレーズを４～５小節目で全体の音の高さをずらして使用しています。

練 習

マイナー・ブルース・スケールから使用する音数を限定して１小節のフレーズを作る練習をしてみましょう。音の選択は自由です。

解答例

練 習

先ほどの１音～６音フレーズも参考にして、マイナー・ブルース・スケールで 12 小節のアドリブ・ソロを作りましょう。

解答例

１音～６音フレーズを使用して、徐々に使う音の数を増やすアドリブ・ソロを作ってみました。

練 習

最後に、マイナー・ブルース以外のマイナー・スケール、ペンタトニック・スケール等、様々なスケールを使用してフレーズを作ってみましょう。その際、コードの３度や７度等と不協和音にならないように注意しましょう。

解答例

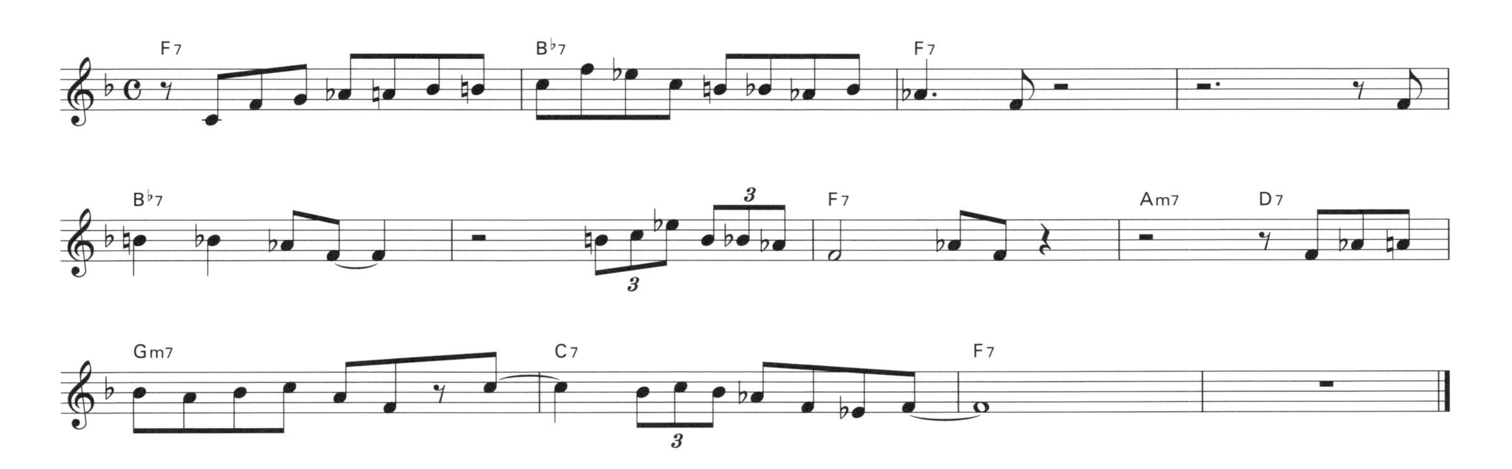

ブルースのテクニック

それでは最後に、ブルースでよく使われるテクニックを詰め込んだアドリブの例を載せて、まとめとします。

POINT

- ブルースでは通常トニック・コードを含め、すべてのコードに 7th を付けて弾く。
- ブルーノートやブルーノート・スケールは、コード進行に関係なく使うことができる（但し、メジャー・ブルース・スケールはコード・トーンと不協和音にならないように注意が必要）。
- ブルースでは、装飾音を付けたフレーズの上に音を重ねて弾いたり、装飾音を黒鍵から白鍵に指をスライドさせる奏法がよく使われる。

リズムで聴かせるアドリブ

ジャズ特有のノリを出す重要なエッセンス、シンコペーションのリズムを弾いてみましょう。

たった１つの音で歌えるフレーズ

ボサノバの『ワンノート・サンバ』は、最初の16小節が、2種類の同音反復フレーズから出来ている、とてもユニークなナンバーです。休符やタイを使っただけで、たった１音からこんなおしゃれなメロディをつくり出すとは、さすがリズムの宝庫といわれるラテン・ミュージックの技ですね。

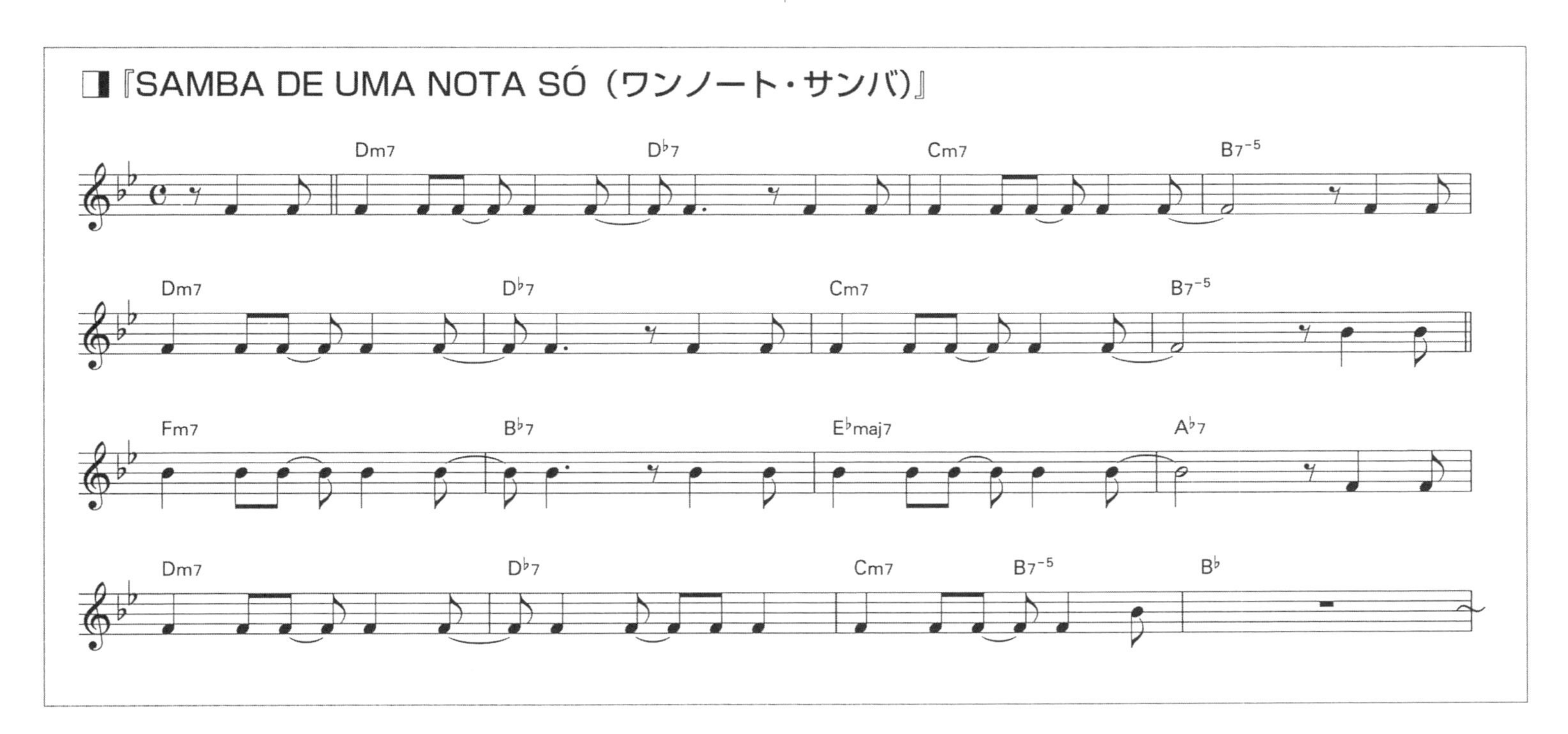

『SAMBA DE UMA NOTA SÓ（ワンノート・サンバ）』

次は、この16小節で使われているリズムの基本パターンです。休符やタイの多用によってシンコペーションが強調されていることが分かります。

リズム・パターン

シンコペーションはジャズにおいてもノリを出すための重要なエッセンスです。例えば①のような何ということのないフレーズがあったとしましょう。これにタイを付け加えるだけで②のように、フレーズにずっとスピード感が出ます。

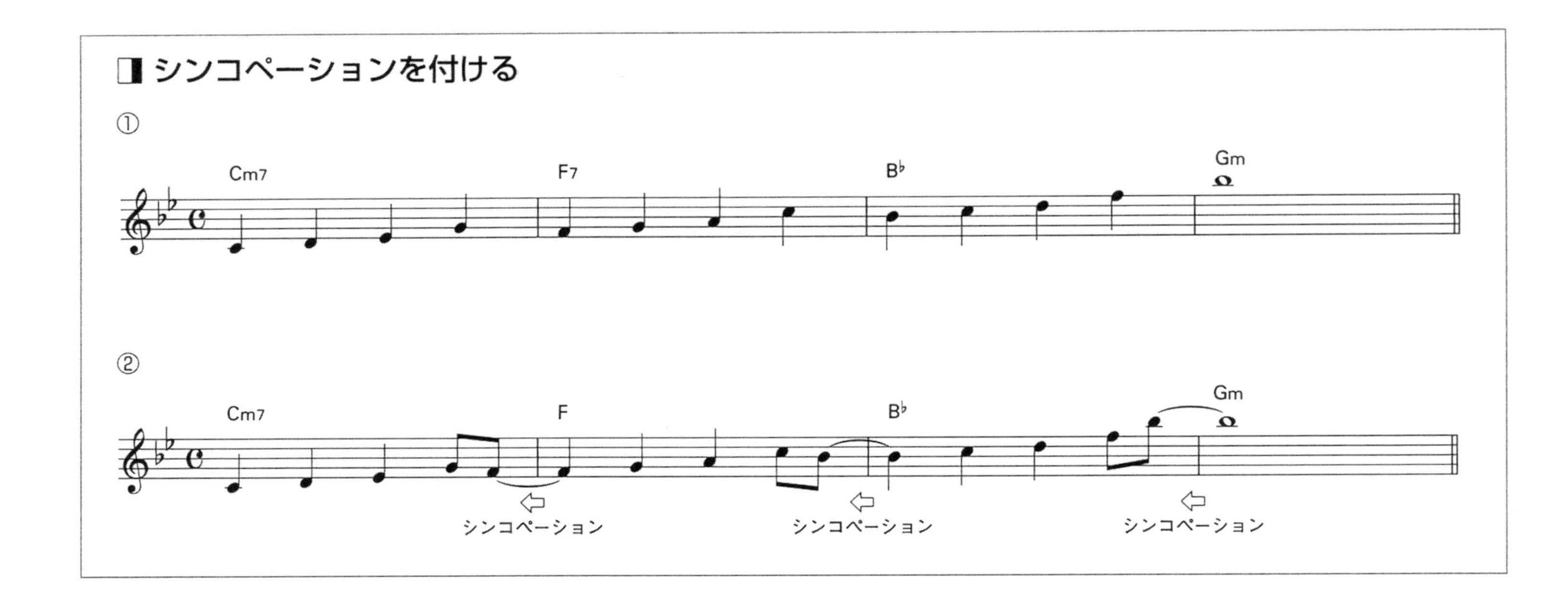

練習

次のフレーズにタイを付けてシンコペーションのあるフレーズにしましょう。

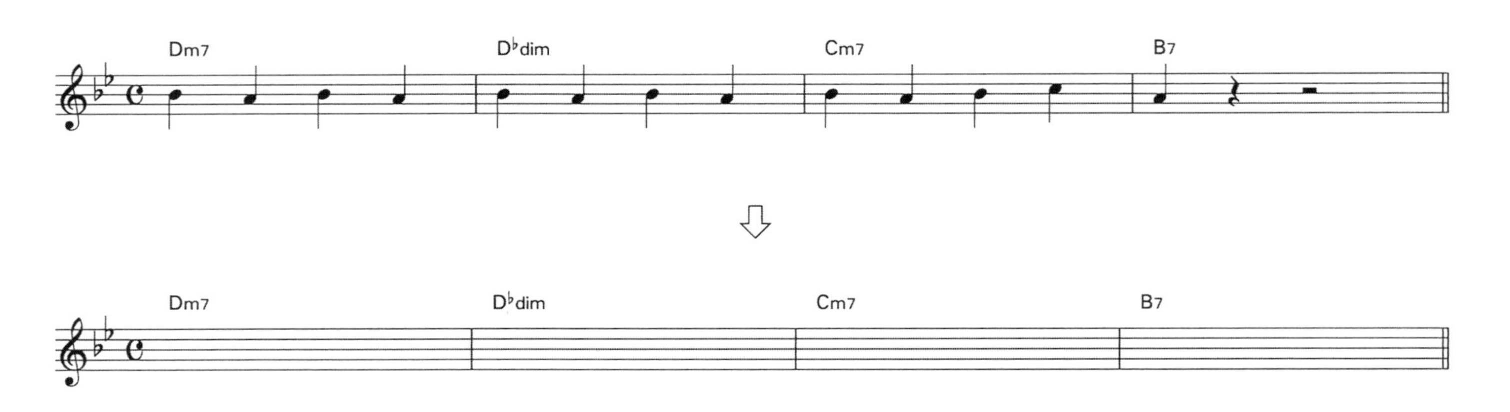

解答例

タイと休符の組み合わせによって、シンプルな音使いのフレーズを、いろいろなバリエーションに変化させることが出来ます。

❏ タイや休符を使用したバリエーション例

練習

『フライ・ミー・トゥ・ザ・ムーン』の冒頭４小節を、タイや休符を使って、**メロディ・フェイク**（※）してみましょう。

※もとのメロディを少し変えること。フェイクをさらに自由に発展させたものがアドリブで、メロディ・フェイクはアドリブ演奏の基本となります。

『フライ・ミー・トゥ・ザ・ムーン』オリジナル

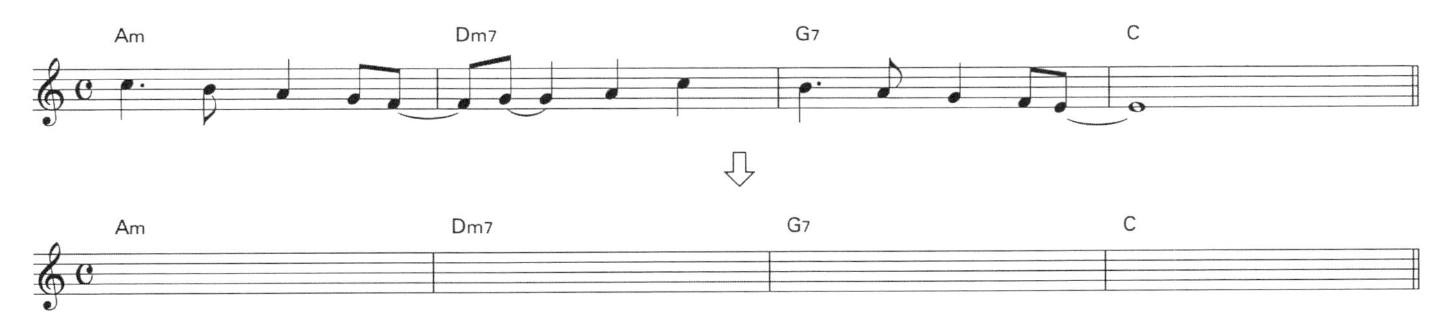

解答例

モントゥーノを弾こう

モントゥーノは、もともとラテン音楽の伴奏として位置付けられていたものですが、最近はアドリブで曲を盛り上げる技法としてもよく使われます。モントゥーノに定型はとくにありませんが、**両手の親指と小指で3オクターブのユニゾン4音で弾き、他の指でコードを弾くパターンを2小節単位で繰り返す**ものが、一般によく知られています。

モントゥーノは、細かいニュアンスやノリを譜面にするのがとても難しいので、ラテンのリズムを本格的に知りたい方は、是非CDなどで本場の演奏をたくさん聴いて音符の長さや音の切り方など研究してください。

では、コード進行から簡単なモントゥーノのパターンを作ってみましょう。コード進行は｜Dm7｜G7｜とします。

STEP 1

まずDm7とG7の各コードからコードの構成音を1つずつ選びます。この時注意するのは、**近くの音を選ぶようにする**ことです。選んだ音をそれぞれ両手の親指と小指を使って、3オクターブ、4音のユニゾンで弾きます。

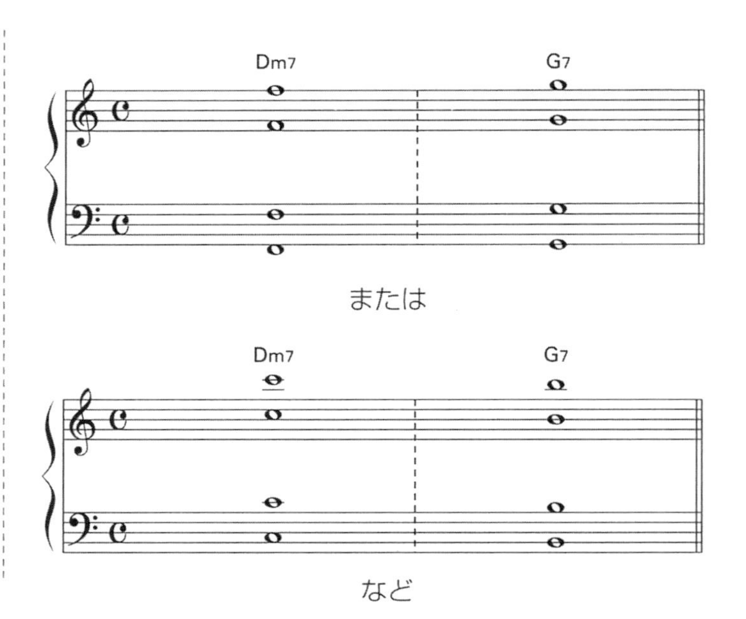

STEP 2

ユニゾンの音の間に新しい音やコードを入れて、空いている指で両手とも同じように弾きます。

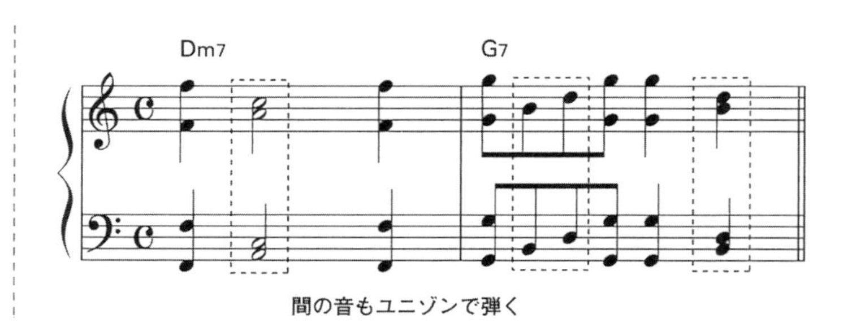

STEP 3

さらにタイや休符を加えてシンコペーションを付けます。

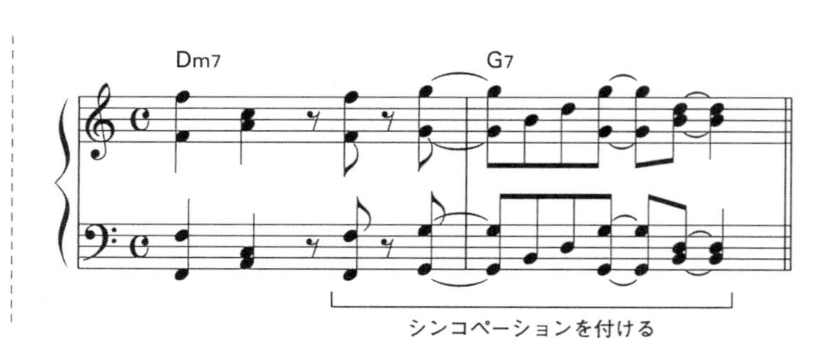

POINT

・ジャズっぽいノリを出すには、休符やタイを上手に使ってシンコペーションを付けることがポイント。

・モントゥーノはウラ拍を強調したシンコペーションのリズムが基本。アドリブの途中で数小節のモントゥーノを入れて演奏を盛り上げるために使われることがある。

モチーフから作るアドリブ

メロディやリズムのモチーフを使ってアドリブを作ってみましょう。

メロディのモチーフ

メロディのモチーフを展開させて曲を作る方法は、クラシックからポピュラーまで、ジャンルを問わず、昔からよく使われてきました。次の曲では線で囲った部分のフレーズがモチーフになって使われています。

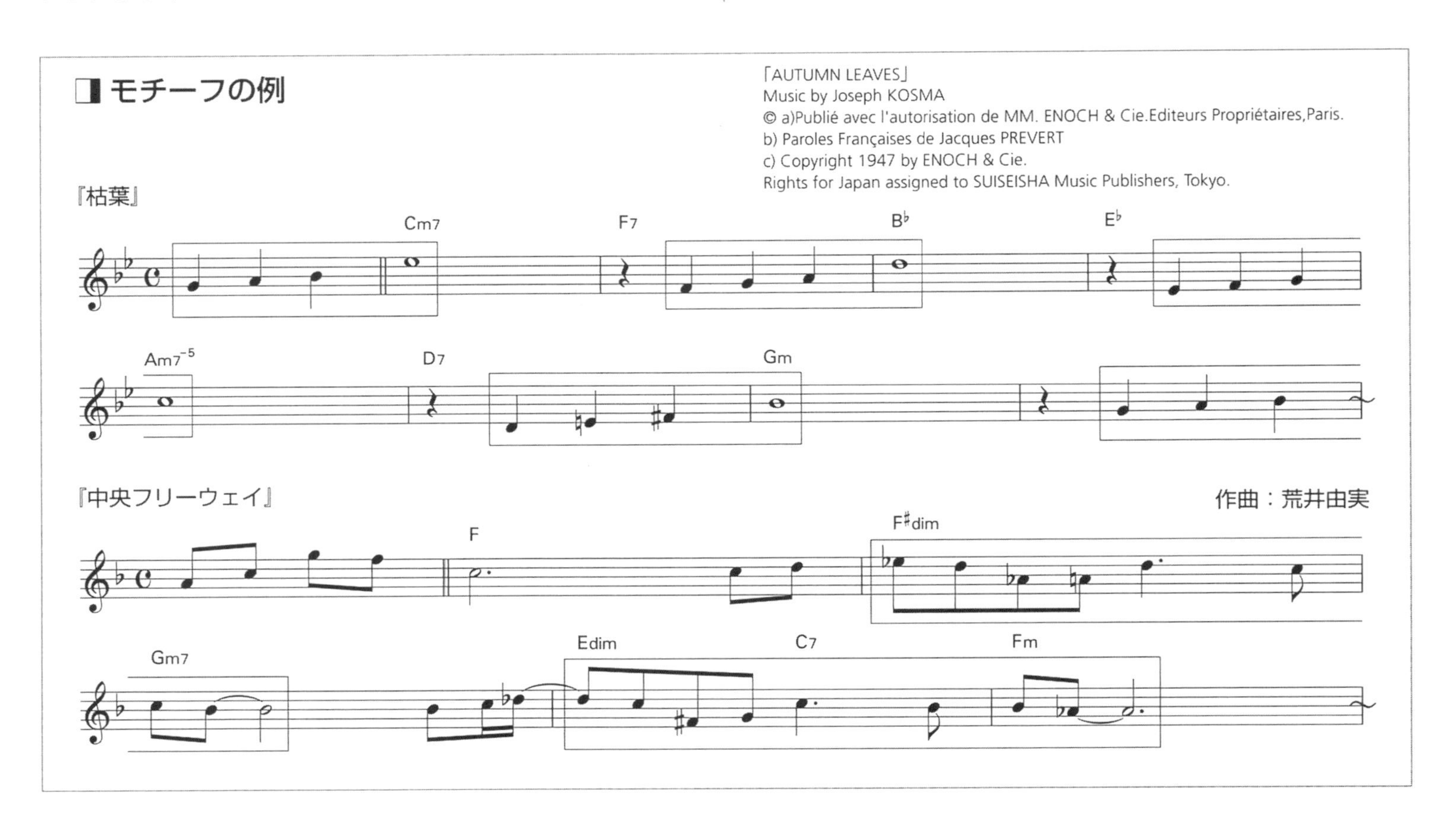

今回は、この手法を作曲ではなく、アドリブで使おうというわけです。さっそく始めてみましょう。

STEP 1

コード進行の中から、モチーフを作るための小節を１～２小節選びます。仮に、ここでは１小節目を選ぶとします。

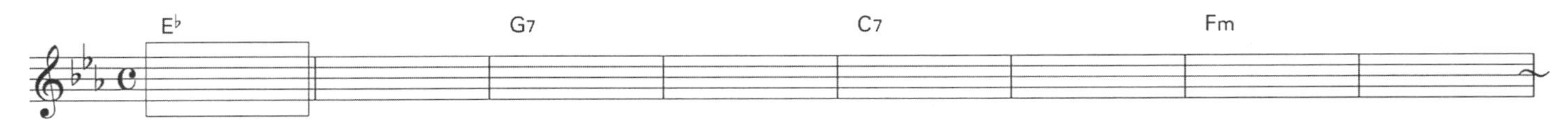

STEP 2

選んだ小節のコードで、モチーフにするメロディを作ります。モチーフはあまり凝ったメロディより**シンプルな方が後で展開しやすい**です。

STEP 3

この時、モチーフとするモチーフの各音がコードの中でどういう位置付けになっているか、**コードの度数などを理解しておく**と、モチーフを移動する時にスムーズです。

ここから先は2通りの方法があります。

方法1：モチーフのポジションを変えずに使用する

E♭からG7にコードが変わっても、モチーフをそのまま同じ音の高さで使う方法です。その後に続く小節も同様に、コードチェンジに関わりなく、同じ音の高さでモチーフを使います。

同じ音の高さで作るモチーフ

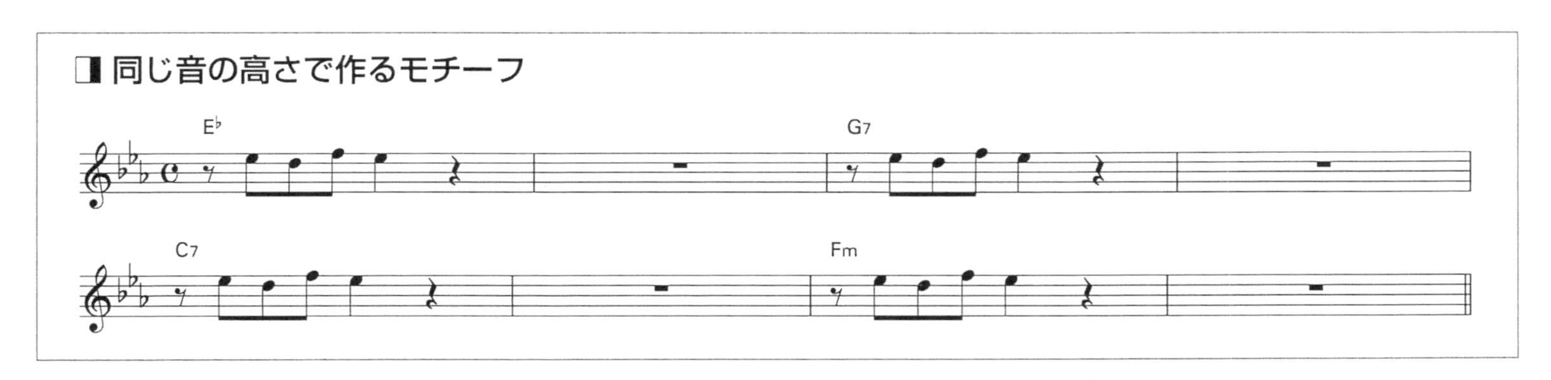

さらに、コードやフレーズの流れなど必要に応じてモチーフを変形して、フレーズを完成させます。

変形させたモチーフの使用例

方法2：モチーフのポジションを移動させる

コード・チェンジに対応してモチーフの位置をずらして弾く方法です。キーやコードに対してモチーフの各音がいつも同じ度数になるように配置するやり方と、コードに対して自由なポジションで弾くやり方があります。

さらに、それぞれコードやフレーズの流れなど必要に応じてモチーフを変形してフレーズを完成させます。

練習

｜C｜Am7｜Dm7｜G7｜C｜Am7｜Dm7｜G7｜（Key in C）のコード進行で、モチーフを使ってフレーズを作ってみましょう。モチーフをポジション移動させるかどうかは自由です。どちらの場合も、コードやフレーズの流れなど必要に応じてモチーフを変形してフレーズを完成させましょう。

1 Cのコードで1小節の簡単なメロディのモチーフを作りましょう。

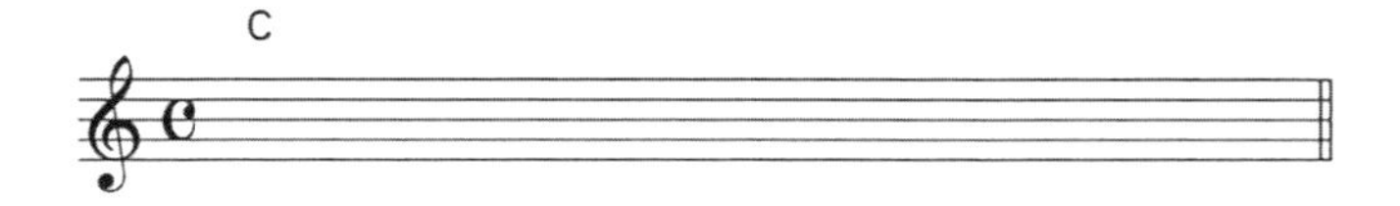

2 モチーフを使って8小節のフレーズを作りましょう。

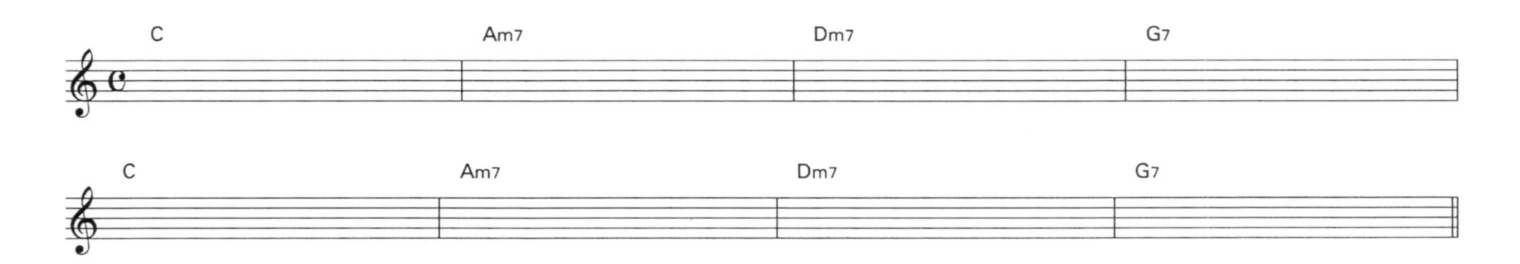

以上の手順は、あくまでもモチーフを使ってフレーズを作る練習のためのものです。実際には演奏中に即興でモチーフを作り、フレーズの中で展開させていきます。また、練習ではモチーフをコードに合わせて変えましたが、**コードやスケールに含まれる音ばかりのフレーズは面白みに欠ける**のも事実です。適度に音をハズしたスリリングな味わいがジャズのオイシイ部分でもあり、その加減が難しいところですが、最終的には**自分の耳と感性に従う**のが一番良いでしょう。

リズムのモチーフ

さて、フレーズを作るためのモチーフには、もう1つリズムのモチーフがあります。例えば右のようなメロディ（①）のリズム（②）だけをモチーフにしてフレーズを展開していく方法です。

早速、このリズムのモチーフを使ってフレーズの展開をしてみましょう。線で囲んだところがモチーフを展開している部分です。

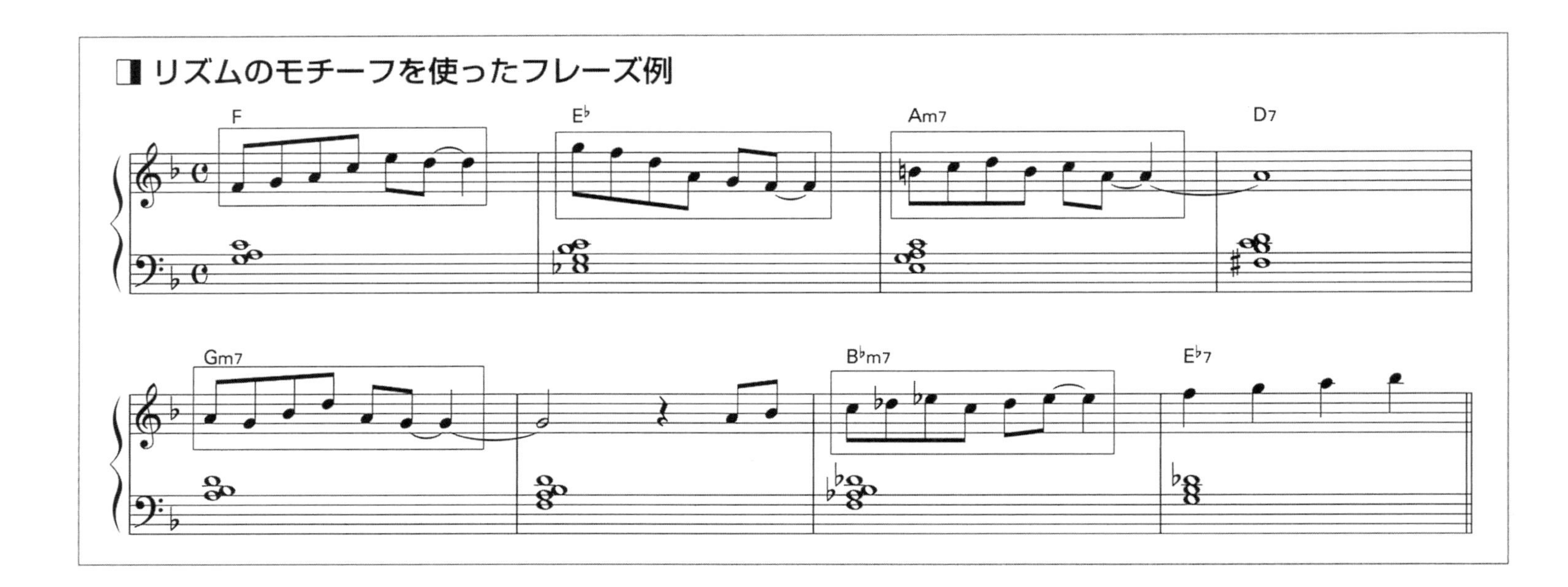

練習

次の2小節のリズムをモチーフにして、8小節のフレーズを作りましょう。

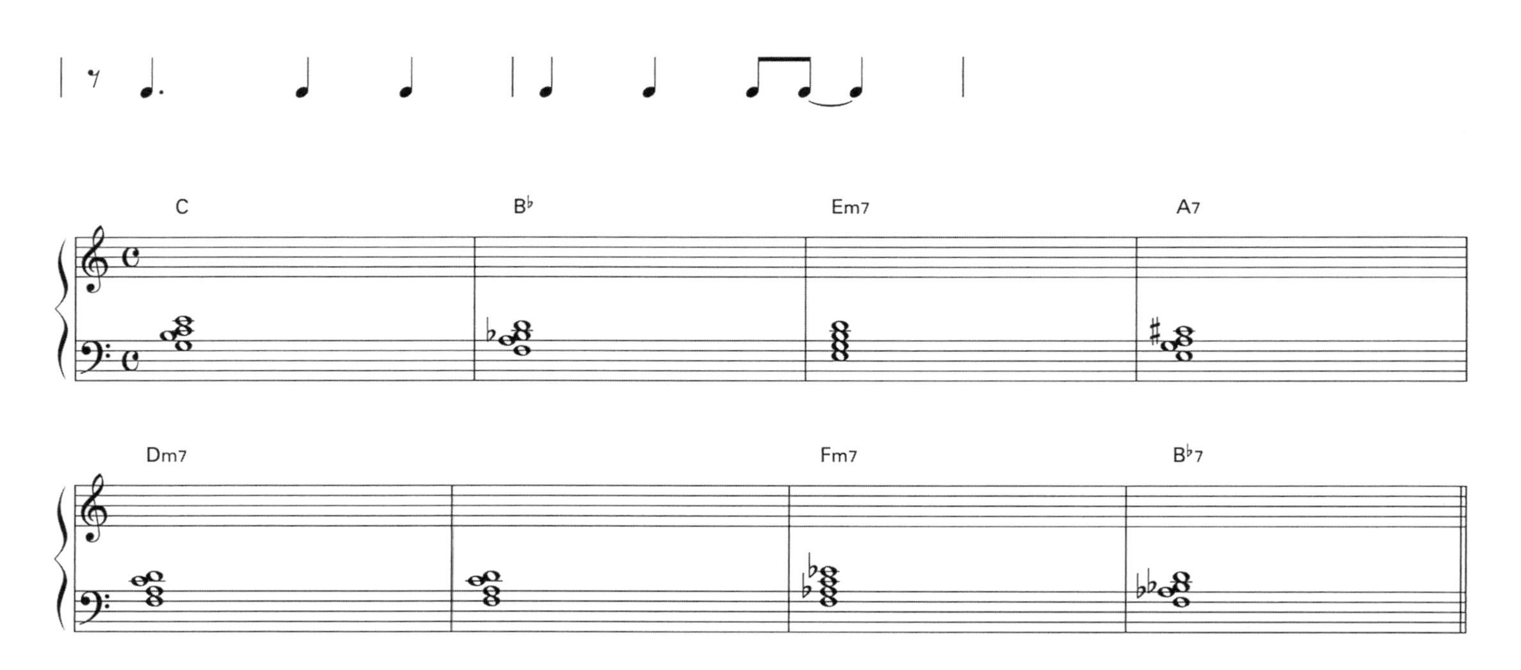

POINT

・メロディやリズムのモチーフを使ってフレーズを作ることができる。
・メロディのモチーフは、そのまま使っても、ポジションを移動して使っても良く、必要に応じて変形して使われる。

第3章
仕込みOKで余裕のアドリブ

めまぐるしく変わるコードのアドリブ

プロのように余裕で演奏できるようになるには、経験や慣れが一番ですが、とりあえず、今すぐアドリブが弾きたい！という方のためにいくつかの手だてを講じる方法を紹介しましょう。

複雑なコード進行をシンプルに

アドリブを始めたばかりの頃は、とくにアップ・テンポの曲での細かいコード・チェンジは、ついていくだけで精一杯、アドリブなんてお手上げ！なんて状態にもなりかねません。

例えば｜C　C♯dim｜Dm7　A7｜Dm7　G7｜C　E7｜のようなコード進行でアドリブをする場合、1小節に2拍ずつ「えーとCの次がC♯dimで…」なんて、考えていたらとても間に合いませんよね。

では、このコード進行をいったん何も考えずに、全部、Cのメジャー・スケール、ドレミファソラシドでアドリブしてみましょう。

❏ Cメジャー・スケールを使ったシンプルなアドリブ

これは、コード進行を大まかに1つのキーにとらえて作ったアドリブ例です。コード進行がダイアトニック・スケール・コードだけでできているとき、1つのメジャー・スケールでアドリブができることはすでに説明しましたが、このようにダイアトニック・スケール・コード以外のコードが含まれていても、同じ方法でアドリブができる場合があります。

次は『バードランドの子守唄』というスタンダード・ナンバーの冒頭8小節です。背景に一貫して流れているキーについて考えてみましょう。

❏『バードランドの子守唄』

曲調からマイナーであることはすぐに分かりますね。次にメロディの落ち着く場所、中心となっているコードなどから判断してFマイナー・スケールが浮かび上がってくることと思います。それはつまり、この８小節のコード進行はマイナー・スケールでアドリブができてしまう、ということになるわけです。

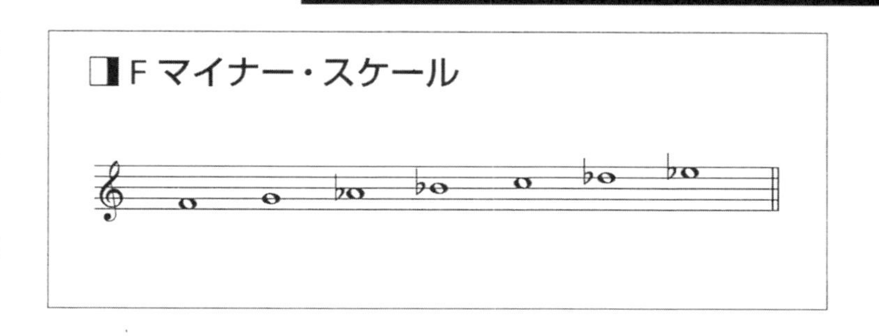

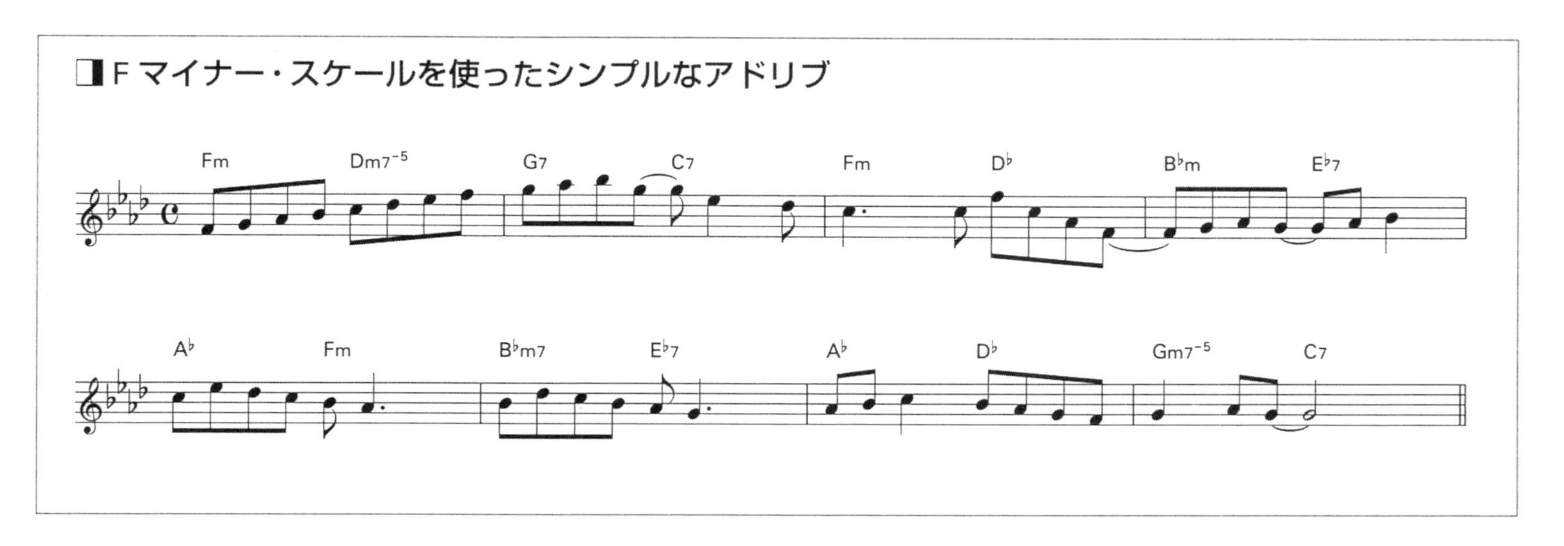

上の譜例のアドリブでは、Dm7^{-5} の レ♭や G7 のシ♭、C7 のミ♭など、理論上ではコード・トーンとぶつかる音がいろいろ使われています。けれども実際のフレーズでは、コードとの違和感は感じられないと思いますが、いかがでしょうか？　ちなみに Dm7^{-5} や G7、C7 のコード・トーンに合わせてアドリブをした例は右のようになります。

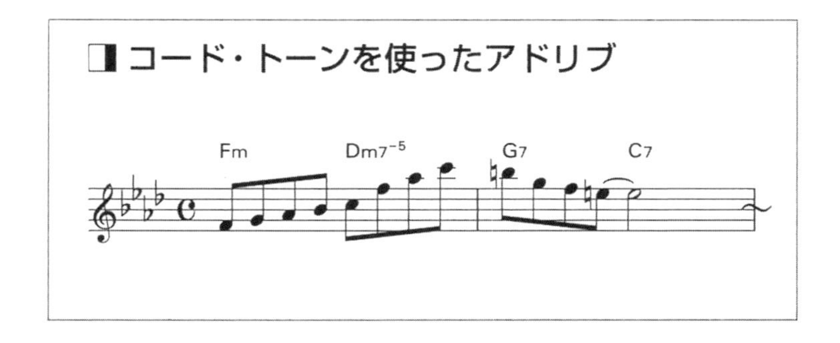

このように、コード進行をアバウトにとらえてアドリブをした時と、コードに忠実な音を使ってアドリブをした時とは、使う音に違いはありますが、どちらもアプローチとしてOKということになります。G7 のシ♭や C7 のミ♭などは、コードのテンションとしてとらえることもできますが、ここでは理論上の可否ではなく、コード進行を１つのスケールで大きくとらえるという観点からの方法論になります。もっとも、ジャズの場合、テンションとして考えると、実はほとんどの音が使えてしまう、ということにもなるのですが…。

自由度の高いマイナー・スケールのアドリブ

複数のコードをひとくくりにして単一のスケールでアドリブをする際、ダイアトニック・スケール・コード以外のコードのところでは、メロディと音がぶつかることもあります。

しかし、理論上NGの音でも、長く伸ばしたり、強調をしなければ、ほとんどは問題になりません。場合によっては、その不協和音を利用して新たにフレーズを展開させてしまう、なんてことさえあるのです。いかにもジャズらしい一面ですね。

ところでマイナー・スケールには、先ほどのマイナー・スケール（ナチュラル・マイナー・スケール）の他に、メロディック・マイナー・スケールとハーモニック・マイナー・スケールを合わせた3種類があります。

これらのスケールは6番目と7番目の音がマイナーかメジャーか、の違いによって別々の名称が付いていますが、実際には1つのフレーズの中で混合して使われることも少なくありません。複数のマイナー・スケールを合わせて使うことによって、フレーズを作る音の選択肢はさらに広がります。

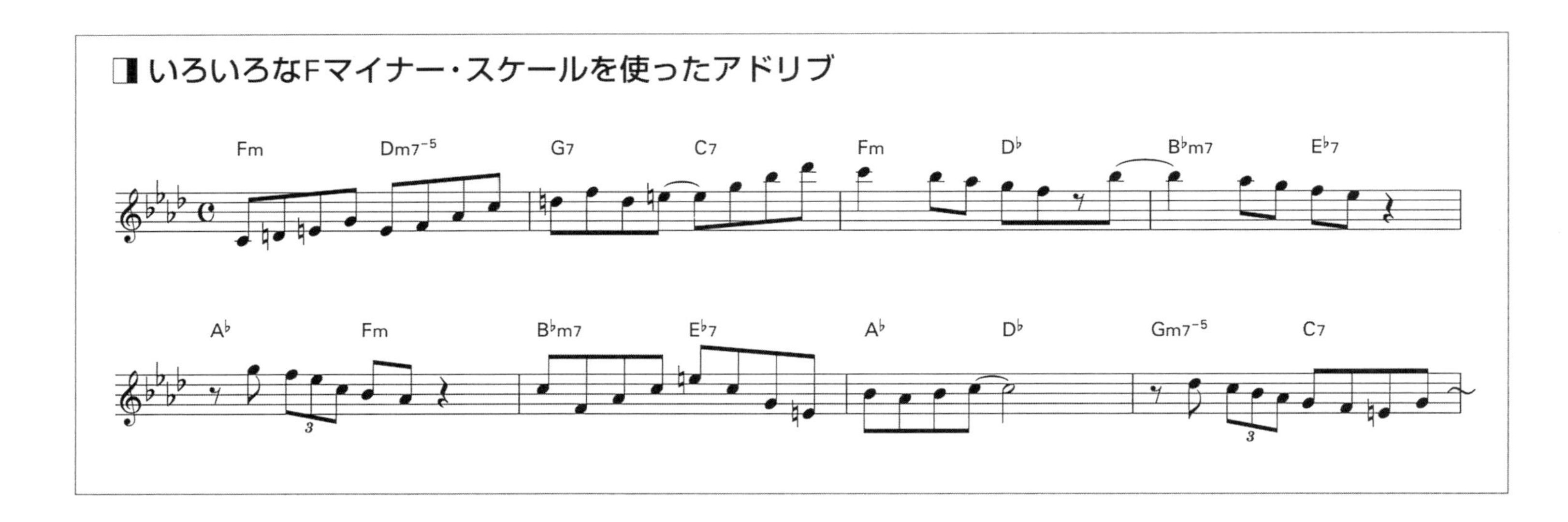

練習

次の『ディア・オールド・ストックホルム（Dear Old Stockholm）』8小節の背景に流れるキーを見つけて、1つのスケールだけでアドリブ演奏してみましょう。

解答例

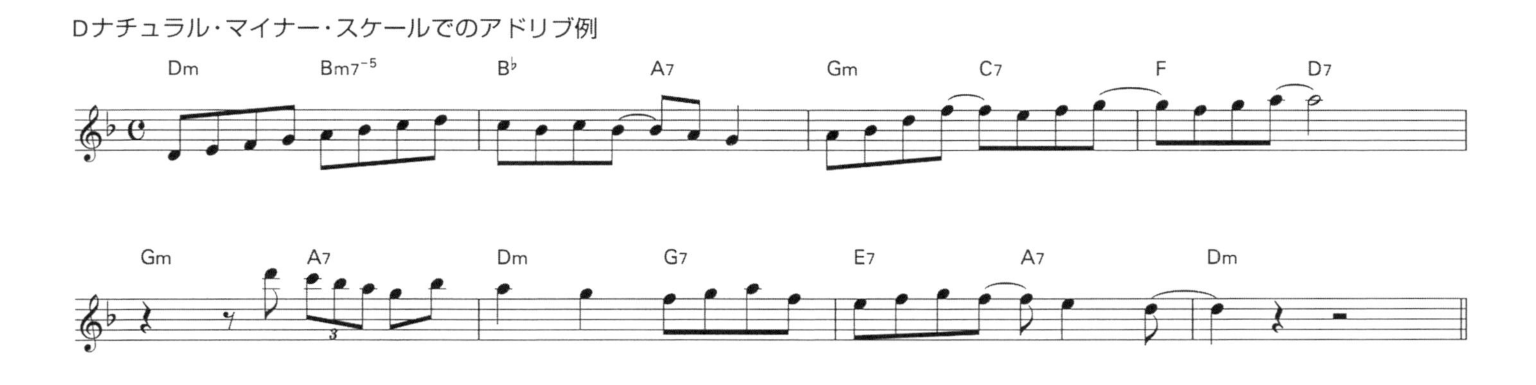

POINT

・細かく変わるコード進行で、とくにテンポが速い曲などでは、1つ1つのコードに対応してアドリブをするのではなく、関連性のあるコードごとにまとめ、その背景のキーを大きくとらえて、それに基づくスケールでアドリブをすることができる。
・その際、メロディとコードの音がぶつかることがあるが、短い音符や強調されない経過音として使われる場合は問題ない。
・マイナースケールには3種類のものがあり、フレーズの中で混合して使うことができる。

ターゲットを狙い弾き

細かく変わるコード進行をいつでも1つにまとめてアドリブができればラクな話なのですが、中にはコード間に脈絡がなく(本当はあるのに見つけられない場合も)、ちょっとコレは…といったケースもあるものです。そんな時に対処する別の方法があります。

コード進行の基本、ツー・ファイブ(Ⅱ－Ⅴ7)を例にとりましょう。まず、コードから1つずつ、ターゲットとする音を選んで決めます。あとは、選んだ音をつなげてフレーズを作るだけです。ターゲットの音をつなぐ方法は、スケールやコードを元に無数の可能性が考えられます。右の例では｜Dm7 G7｜C ｜のコード進行からDm7→D、G7→G、C→Cの音をそれぞれターゲットに選び、フレーズをつなげていきます。

コードの構成音をイメージ

ターゲット音を選ぶ基準に決まりはありませんが、とりあえず、コード・トーンから選ぶのが一番無難でしょう。その際、コードネームを見てすばやくその構成音を思い浮かべられるのが理想ですが、少なくともルート以外に、とくに3rdや7thなどの主要な音は、すぐに分かるようにしておきましょう。

コード・トーンの例

コード	ルート	3rd	5th	7th	テンション
Dm7	D	F	A	C	E、G
G7	G	B	D	F	A♭、A、A♯、C♯、E♭、E
C	C	E	G		D、F♯、A、B

練習

｜Dm7　G7　｜C　A7　｜のコード進行で、コードの3度の音をターゲット音にしてフレーズを作ってみましょう。

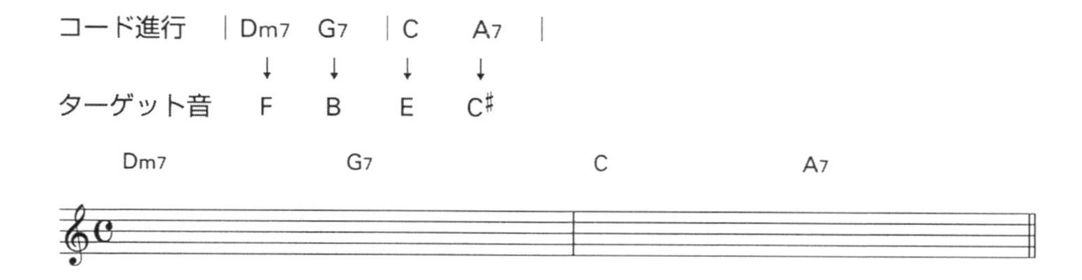

解答例

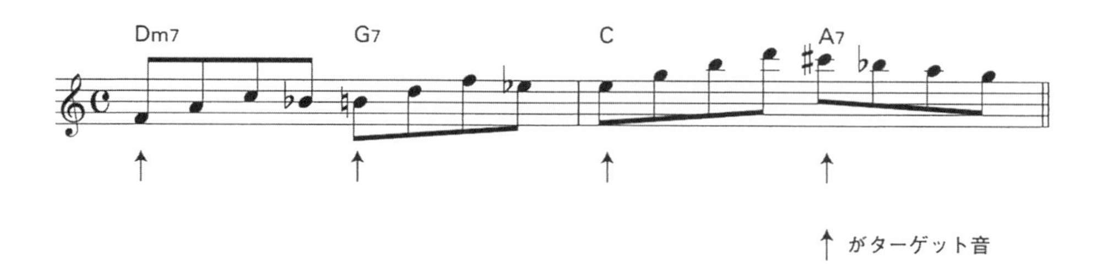

ディレイド・リゾルブ

上の解答例では、ターゲットのコード・トーンに対して直前の2音が、その上下の音を使ってアプローチしています。このような音の使い方を**ディレイド・リゾルブ**（Delayed＝遅れた・Resolve＝解決）と言い、アドリブでは非常によく使われる手法です。ここではコードの3度の音を使っての例でしたが、ルートや5度、セブンスなどコード・トーンすべてに適用されます。また、ディレイド・リゾルブやターゲット音は必ずしもコード・チェンジの最初に来なければならない、というものではありません。

◨ディレイド・リゾルブ

Dm7　上から　G7　上から　C　上から　A7

下から　下から　下から

練習

次のコード進行で、ターゲット音やディレイド・リゾルブを使ったフレーズを作ってみましょう。

コード進行 | Fm Dm7⁻⁵ | G7 C7 | Fm D♭ | B♭m7 E♭7 |

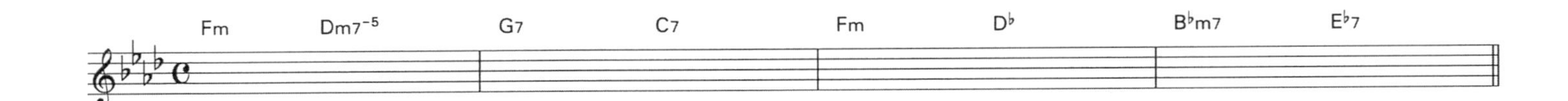

解答例

1. コード進行 | Fm Dm7⁻⁵ | G7 C7 | Fm D♭ | B♭m7 E♭7 |

コード進行	Fm	Dm7⁻⁵	G7	C7	Fm	D♭	B♭m7	E♭7
ターゲット音		F	B	E	A♭	F	B♭	G

2. コード進行 | Fm Dm7⁻⁵ | G7 C7 | Fm D♭ | B♭m7 E♭7 |

コード進行	Fm	Dm7⁻⁵	G7	C7	Fm	D♭	B♭m7	E♭7
ターゲット音		F	G	E		F	B♭	G

※1　ターゲット音に対してクロマチック（半音階的な）アプローチ

※2　ターゲット音（ファ）に対して上下の音（ソとミ）のみではなく、間に一音（ソ♭）を加えたバリエーション

※3　ターゲット音（ソ）に対して上下の音（ラ♭とソ♭）のみではなく、間に一音（ファ）を加えたバリエーション

POINT

・ コードからターゲットとする音を選び、それをつなげてフレーズを作ることができる。

・ コード・トーンへ行く時、その上下の音を通ってから目的の音に落ち着くディレイド・リゾルブというアプローチ方法がある。

演奏家たちのキメのフレーズ

自分だけの音やフレーズを身に付けるには、さまざまな演奏家のプレイを研究することが参考になります。

キメのフレーズ

落語やお笑いなどの世界では、ネタにつまったり、間合いを調整したい時、自分流のキメのフレーズやギャグなどを使うことがあるとか、ないとか…？　昔、落語の初代、故林家三平師匠が「もう～　大変～」「ど～も、すいません」というキメ台詞を絶妙のタイミングで使って人気を博したことは有名ですが、ジャズのアドリブでも自分だけの音やフレーズがあったら、どんなに強力な武器となることでしょう。それこそ、フレーズに詰まった時に使えば一石二鳥です！　どんな芸術でも、創造性にはオリジナリティが問われるものです。ジャズの世界でも人気のある演奏者たちは、皆、その音を聴けばすぐに誰と分かる個性を持っています。

オスカー・ピーターソン

超高速パッセージの両手ユニゾン弾き

ジャズ界のエンターティナー的な存在であったオスカー・ピーターソンのピアノは、とにかく明るくハッピーなノリと、超高速フレーズの連続が特徴です。中でも、両手のユニゾンで弾く速いパッセージは、まさに彼の演奏スタイルを象徴しています。

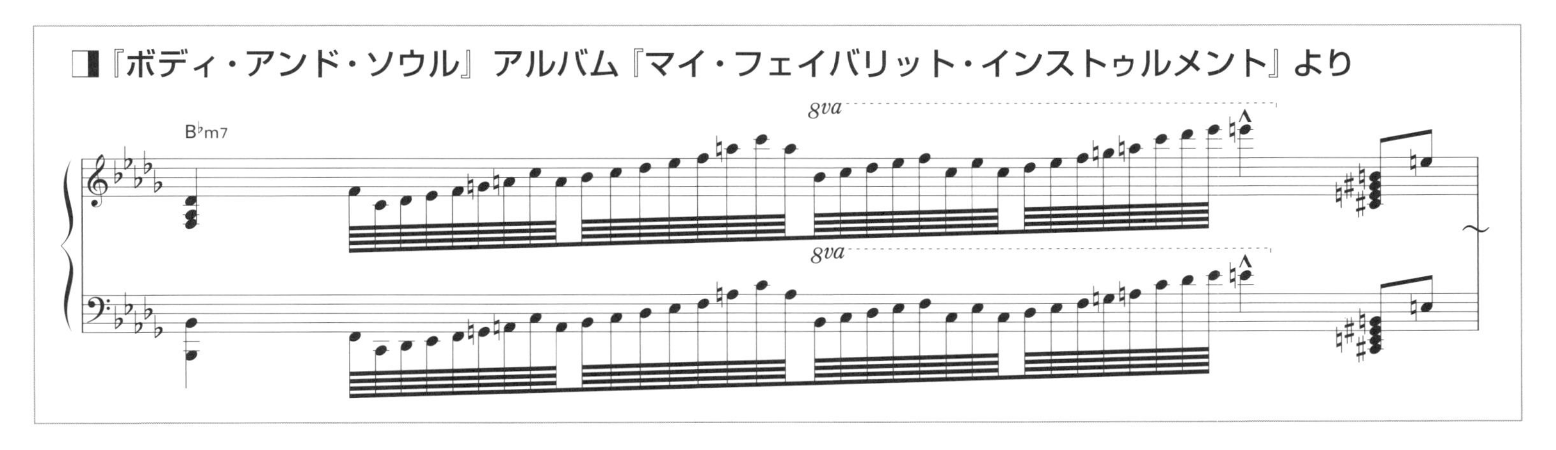

レッド・ガーランド

ノリの良いコンピングに転がるようなフレーズとコードによる両手ユニゾン・フレーズ

『C ジャム・ブルース』の名演奏で有名なレッド・ガーランドのピアノは、左手のシンプルで軽快なコンピングと、右手による演歌でいうところの“コブシ”のようなコロコロ転がるような音使い、またメロディとコードのユニゾンで演奏される華やかなフレーズなど、楽しくなる仕掛けがいっぱいです。次の譜例は『C ジャム・ブルース』からの抜粋です。1拍半の間隔で刻まれる左手の短く歯切れの良いコンピングと、繰り返し使われる、転がるような 16 分音符のフレーズ、メロディとコードの両手ユニゾン・フレーズに注目してください。

セロニアス・モンク

リズムも音も個性のかたまり！

代表作『ラウンド・ミッドナイト』をはじめ、多くの素晴らしいオリジナル曲を残しているセロニアス・モンクは、一方では、その特異なメロディや不協和音の多用、１音１音を考えながら弾くような独特な間のとり方、リズムやアクセントなど際立って個性的なスタイルでも知られています。『モンクス・ドリーム』はテーマそのものに既にモンクらしい個性的な音使いが織り込まれています。とくに、隣同士の音をあえて使った不協和音や、独特なタイム感の２拍３連、特徴的なホールトーン・スケールによるフレーズなどにご注目ください。

以上は、ピアニスト達による独自のフレーズや個性的な“言いまわし”のほんの一例です（実際の音源では、譜例にコード・トーンやテンション[※1]等が適宜、加わった演奏となっています）。オリジナリティは一朝一夕に作られるものではありませんが、まずはフレーズのラインだけでなく、音色やタッチなどにも気を配って、自分らしい表現を心がけてみましょう。

※１　テンションについては、P.75～78を参照。

ジャズの常套句

ジャズのフレーズには、伝統的に多くのミュージシャンによって使われてきた、いわばジャズの常套句とも言うべき、典型的な“言い回し”があります。

メジャー・コード、マイナー・コード共用

コード・トーンに隣接する音を付けたフレーズ

メジャー・コード

コードに1つずつ音を増やして…

スケール的なフレーズ

■ コード・アルペジオ的なフレーズ

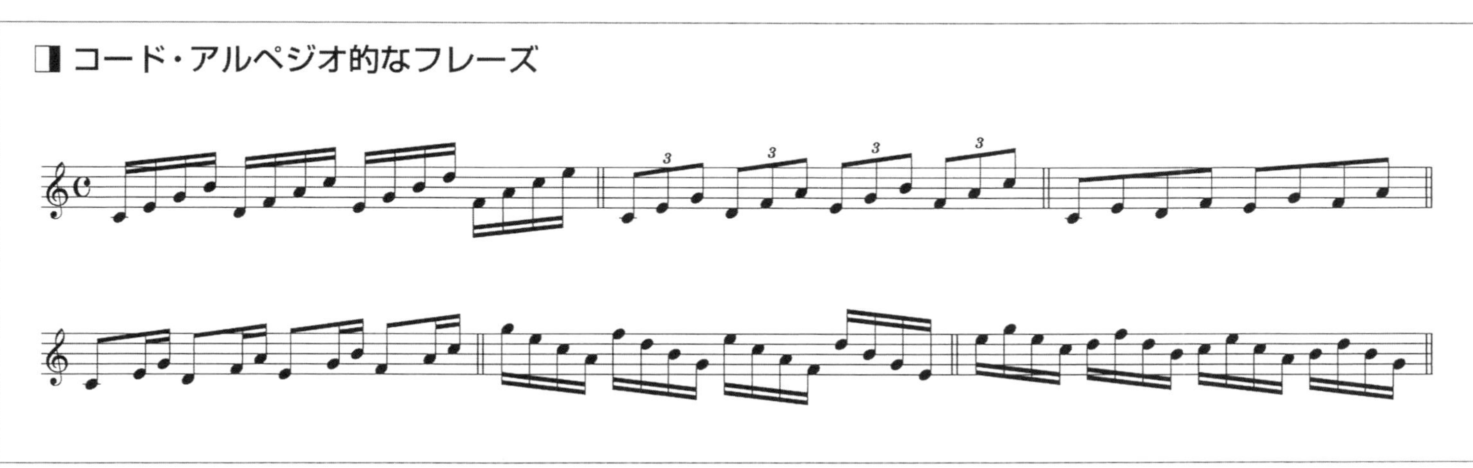

■ クロマティック（半音階）的なフレーズ

■ いろいろ組み合わせた応用的なフレーズ

マイナー・コード

※マイナー・スケールは複数の種類があってすべてを載せると煩雑になるため、以下は、1つのモデルとしてスケールに合わせて使ってください。（マイナー・スケールについて詳しくはP.58参照）

コードに1つずつ音を増やして…

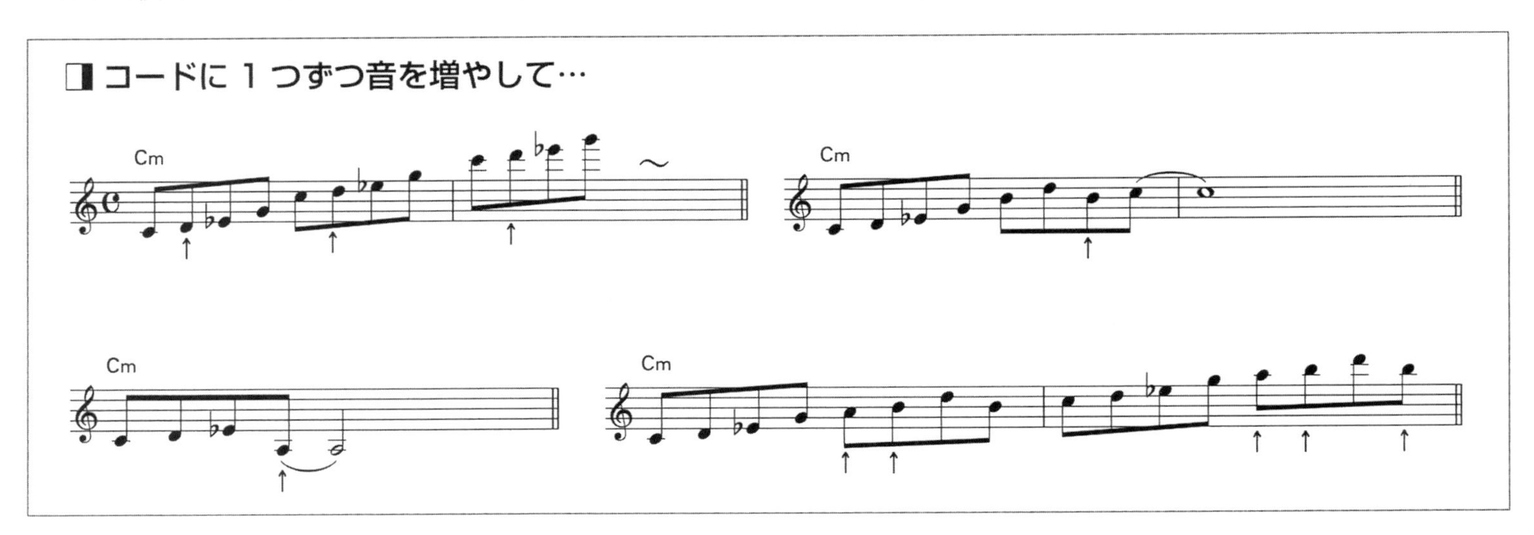

マイナー・スケール的なフレーズ

コード・アルペジオ的なフレーズ

クロマティック（半音階）的なフレーズ

ブルーノートを使ったフレーズ

いろいろ組み合わせた応用的なフレーズ

セブンス・コード

ダイアトニック・スケール的なフレーズ

アルペジオ的なフレーズ

G7

テンションなどを使った応用的なフレーズ

コード進行で覚えておきたいフレーズ

よく使われるコード進行では、セットにしてフレーズを覚えておくと便利です。

Ⅱm7－Ⅴ7－Ⅰ

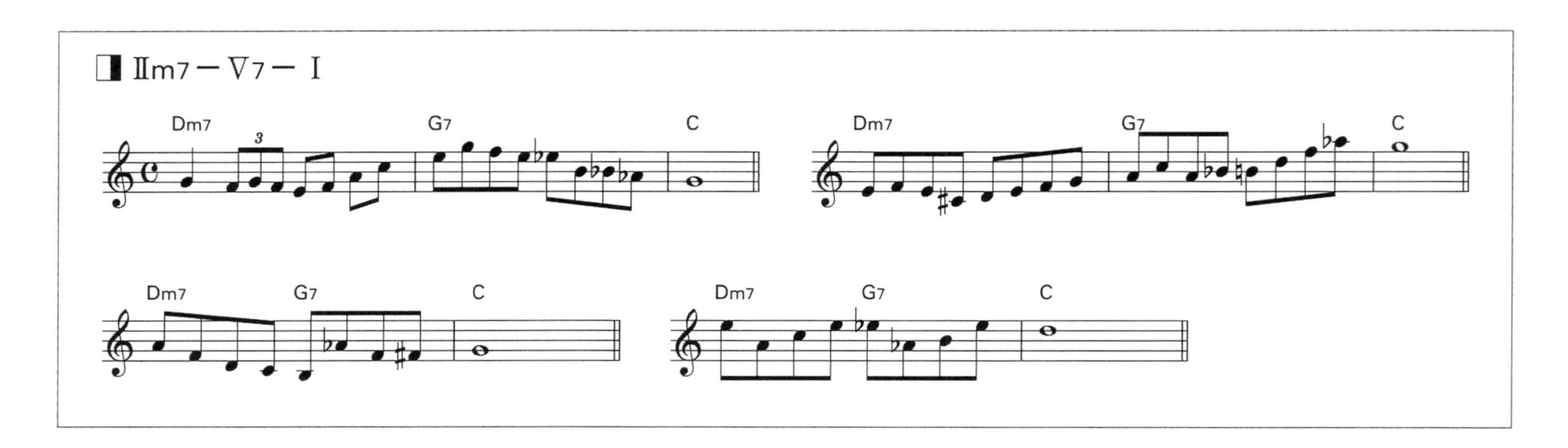

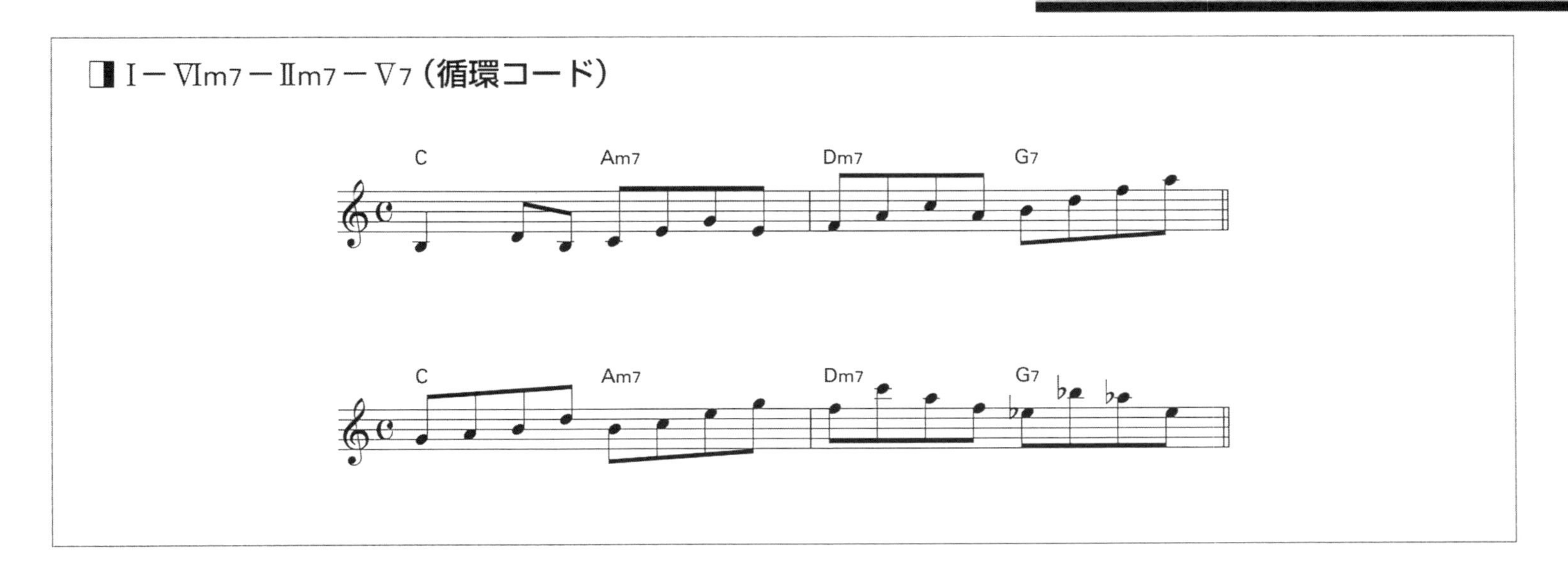

POINT

- アドリブにおいて、フレーズはもちろん、リズムやタイム感、ハーモニーや音色、タッチなど、すべての表現が演奏者の個性となる。いろいろな人の特徴を研究して、いずれは自分だけのオリジナリティを出すことを目標にすること。
- ジャズの"常套句"的なフレーズはできるだけ覚えるようにすること。

個性豊かなコード進行

ダイアトニック・スケール・コード以外のコードの機能を分析し、それに沿ってアドリブを組み立てていく、という方法について説明します。

ノン・ダイアトニック・スケール・コード

これまでアドリブの発想法や実践的な手法についていろいろ書いてきましたが、それらはコード進行を大きくとらえたり、具体的なコード・トーンから音を選択してフレーズを組み立てるなど、コードの機能をさほど考慮しなくても作れるものが中心でした。ここでは、とくに今までの仕方では対処しきれないようなコードに対して、それらの機能を分析して、それに沿ってアドリブを組み立てていく、という方法について説明したいと思います。

ダイアトニック・スケール・コードとは、メジャー・スケール上に３度で重ねられた７種類のコードですが、これ以外のコードのことを**ノン・ダイアトニック・スケール・コード**といいます。

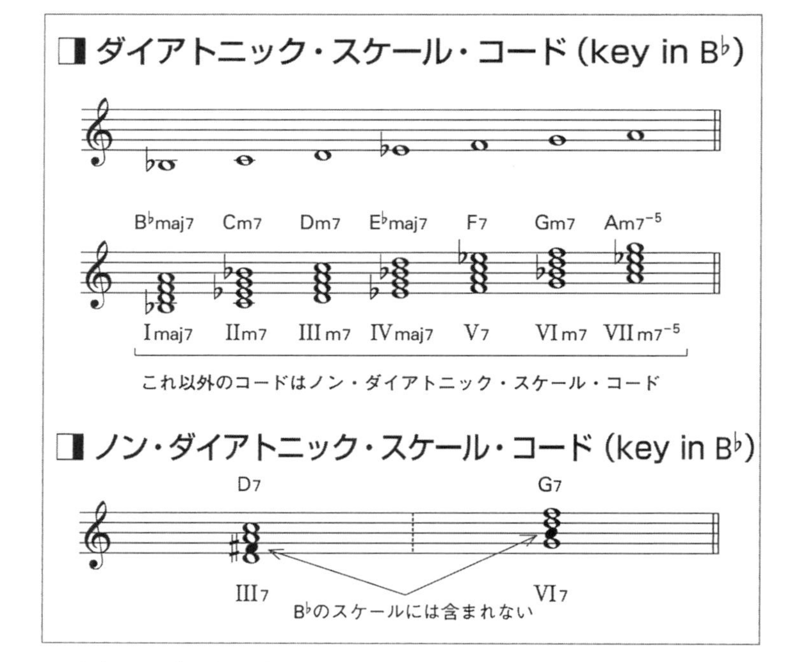

『いつか王子様が』のコード進行をディグリー・コード（ローマ数字でコードを表わしたもの）で示すと次のようになります。ディグリー・コードのうち、Ⅲ7（D7）、Ⅵ7（G7）、Ⅴm7（Fm7）、Ⅰ7（B♭7）、Ⅲ♭dim（D♭dim）、Ⅳ♯dim（Edim）がノン・ダイトニック・スケール・コードとなります。ノン・ダイアトニック・コードは、一時転調のコードとして考えられる場合があります。

 スケール・チェンジでコードをつなぐ

それでは『いつか王子様が』のノン・ダイアトニック・スケール・コードを分析してみましょう。

 ｜G7（VI7）｜Cm7（IIm7）｜

この曲に出てくる3つのG7はすべてG7→Cm7として使われていますが、この場合、ルートが完全5度下（完全4度上）のダイアトニック・スケール・コードに解決しているので**セカンダリー・ドミナント・コード**ととらえることができます。これは通常、いろいろな曲でよく使われるもので、アドリブでは、**次のコード（ここではCm7）をトニック・コードと見なしてドミナント・セブンスに準ずる**扱いをします。マイナー・コードに解決しているセブンス・コードでは、ハーモニック・マイナー・スケール・パーフェクト5th・ダウンが使われることが多いですが、各コードに対応する機能別のスケールについて詳しくは後述します（P.78 参照）。

 ｜D7（III7）｜E♭（IV）｜

D7に関しては、複数の推論として、まず、D7→E♭→G7まで拡大して見ることによって、完全5度下（完全4度上）に進行するD7→G7の間にE♭が入ったという解釈、あるいは、ダイアトニック・スケール・コードのIIIm7（Dm7）のファの音をファ♯に変えたものがIII7（D7）である、という解釈などが挙げられます。

アドリブでは、前者ではセブンス・コード、後者ではダイアトニック・スケール3番目のフリジアン・スケールの3度の音が変化したもの（結果的にマイナーに解決するセブンス・コードで使われるハーモニック・マイナー・スケール・パーフェクト5thダウンと同じになる）を基本として考えます。

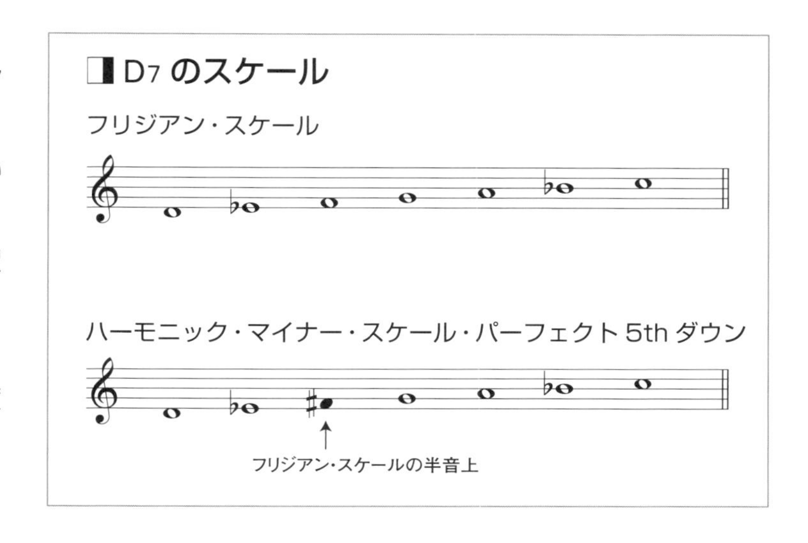

 ｜Dm7（IIIm7）｜D♭dim（III♭dim）｜Cm7（IIm7）｜

D♭dim（＝Edim）は、いわゆる**パッシング・ディミニッシュ・コード**といってDm7→Cm7のような**長2度進行するダイアトニック・コードをスムーズにつなげる**目的で使われます。ディッミニッシュ・コードでは、基本的にディミニッシュ・スケール（全音・半音の順に並んだスケール）が使用されます。

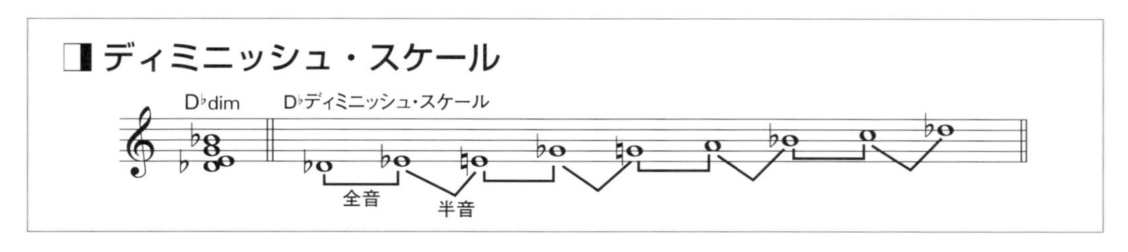

｜E♭（IV）｜Edim（IV♯dim）｜B♭onF（IonV）｜

Edimは E♭→B♭onFの間に入って、コードの一番下の音をミ♭→ミ→ファとつなげる役目を果たしているという解釈、あるいは、E♭（IV）をCm7（IIm7）に、B♭（I）をDm7（IIIm7）に代理コードで置き換えてCm7→Dm7（IIm7→IIIm7）をつなぐパッシング・ディミニッシュ・コードという解釈もできます。

| Fm7（Ⅴm7） | B♭7（Ⅰ7） |

17～18小節目のFm7とB♭7は、Key in E♭への一時的な転調として、次のコードE♭をトニックのⅠと見なして、そこに解決するためのⅡm7－Ⅴ7と解釈します。アドリブではFm7→B♭7で一時的にE♭のメジャー・スケールが基本になりますが、E♭に解決すると同時に、E♭はKey in B♭のⅣのコードとして元の機能に戻ります。

主なノン・ダイアトニック・スケール・コードと使用例（Key in C）

ノン・ダイアトニック・スケール・コードの解釈についての一例を紹介しましたが、これらからも分かるように、コード進行の分析には複数の解釈が伴うことがあります。中には、難解なものや見解の分かれるようなケースもありますが、誰が見ても明解な一時転調やセカンダリー・ドミナント、パッシング・ディミニッシュ・コード等、よく使われるパターンは限られていますので、基本的なものは理解し、慣れておくようにしましょう。

D7（Ⅱ7） ⇒ コード使用例 | D7 | G7 |

Dm7→G7のⅡm7の代わりにⅡ7を使ってⅡ7－Ⅴ7となった典型的な例で、Ⅱm7よりも明るい雰囲気になります。ドミナントのドミナント、ということから**ダブル・ドミナント**または**ドッペル・ドミナント**などと呼ばれます。

E7（Ⅲ7） ⇒ コード使用例 | E7 | Am7 |

セカンダリー・ドミナント・コードとして、ルートが４度上のダイアトニック・スケール・コードに解決するためのセブンス・コード。次のコードを際立たせる効果があります。

A7（Ⅵ7） ⇒ コード使用例 | A7 | Dm7 |

セカンダリー・ドミナント・コードとして、ルートが４度上のダイアトニック・スケール・コードに解決するためのセブンス・コード。次のコードを際立たせる効果があります。

C7（Ⅰ7） ⇒ コード使用例 | C7 | F |

４度上のキーに一時転調する典型的なパターンで使われます。さらに前にGm7を入れて | Gm7 | C7 | F | として使われることも多くあります。

フレーズ例

ダブルドミナントでミクソリディアンスケール（※）を使ったフレーズ（key in C）

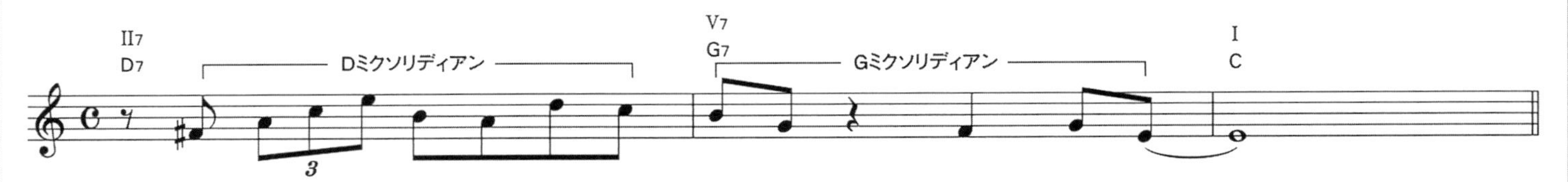

セカンダリードミナントでハーモニック・マイナー・スケール・パーフェクト5thダウン（※）を使ったフレーズ（key in C）

セカンダリードミナントでミクソリディアンスケールを使ったフレーズ（key in C）

（※）スケールについてはP.78を参照

テンションを効果的にアピール

テンションを知っていると、複雑なコードを探る有力な手がかりになります。

ジャズに必須のテンション

最近のモダン・ジャズなどではコード進行が複雑化し、どこからどこまでが何のキーに転調してるのか、といった分析さえ困難なものも多くあります。また、コード自体も構成音が複雑で、ちょっと聴いただけでは何のコードなのか分かりにくいようなコードも多くなってきています。そんな時、各コードで使われる“テンション”を知っていると音を探る有力な手がかりになります。

まず『いつか王子様が』の冒頭8小節で、次の2つのアレンジを弾き比べてみてください。

①はコード・トーンだけでアレンジしたもの、②はテンションを使ったアレンジです。②の方がずっとジャズっぽい響きがしますね？　このように、**テンションは、ジャズがジャズっぽくなるための重要な要素**となっています。

テンション・ノートとは、セブンス・コードの上に1つおきに音を重ねた音で、スケールのルートから数えて9、11、13番目の音とその変化音をいいます。♭11thは実質上3rd、♯13thは実質上7thになるので、テンションとしては存在しません。

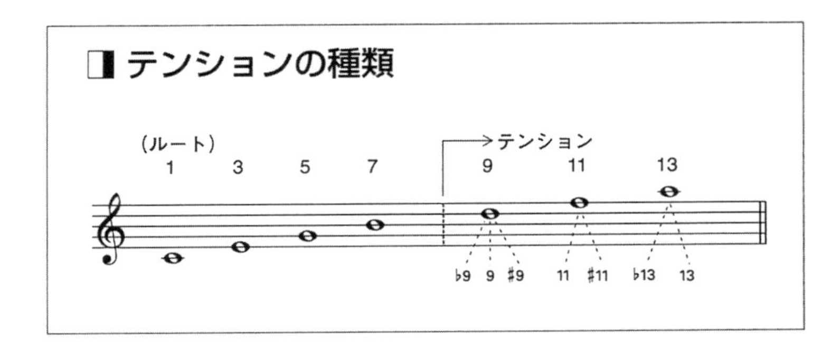

主なコード・タイプ別テンション使用例

メジャー・セブンス・コードでは、トライアド(3和音)に9thの音が付いたものはadd9(アド・ナインス)、13thの音が付いたものは6thと表記します。

マイナー・セブンス・コードについても同様です。マイナー・セブンス・コードのテンションでは、Ⅱm7で13thを入れる時はⅦm7♭5のサウンドに近くなるため、要注意。

また、ドミナント・セブンス・コードでは、11thは基本的に4度上のコードのルートをイメージさせるため、理論上はアヴォイド・ノート として使用不可ですが、sus4(サス・フォー)としての使用は可能となります。

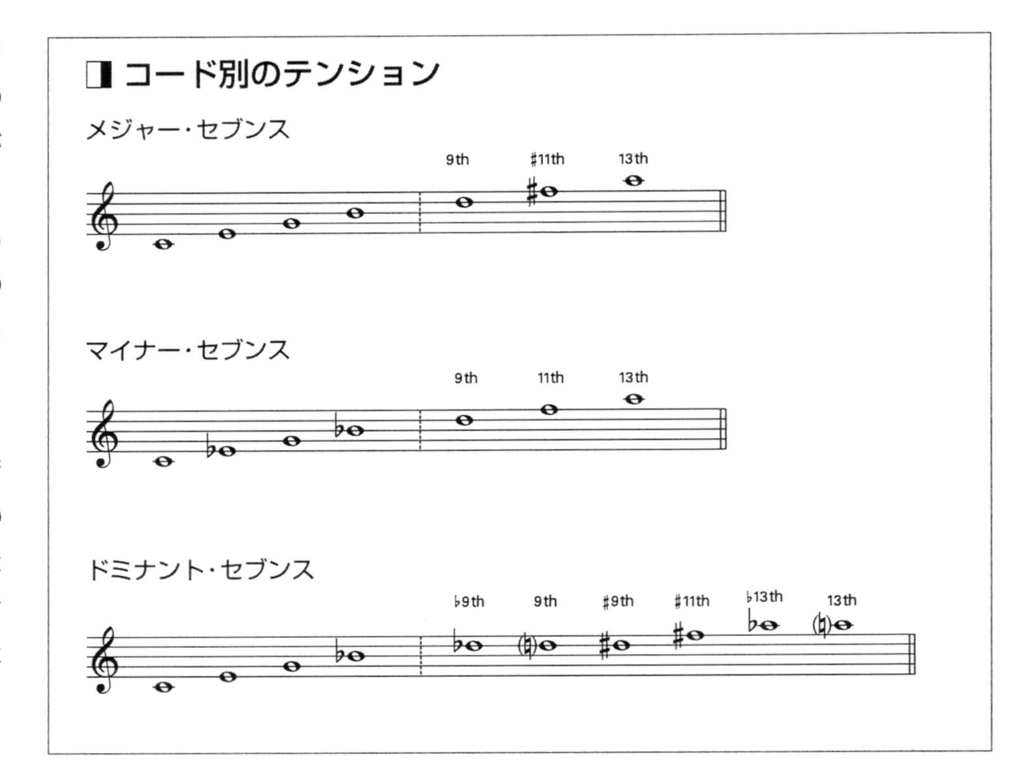

それでは『いつか王子様が』の譜例②でテンション・ノートを確認してみましょう。

9th

1小節目B♭maj7、3小節目E♭maj7、5小節目Cm7のコードで使われています。

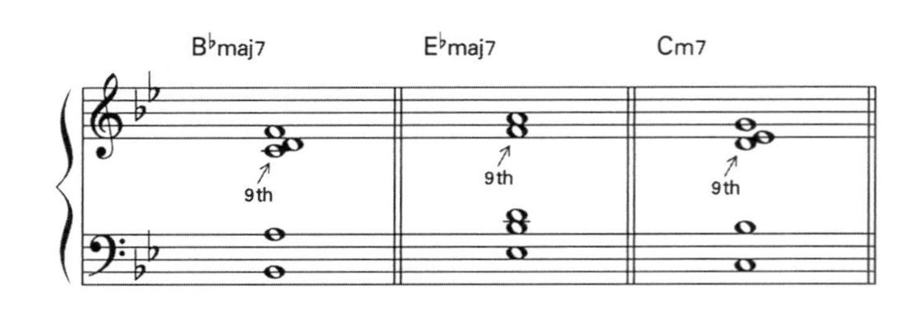

♭9th

6小節目G7と8小節目F7のコードで使われています。

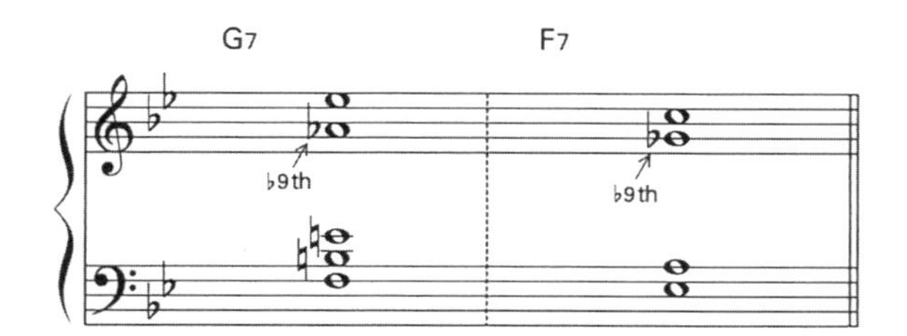

♯9th

2小節目D7のコードで使われています。

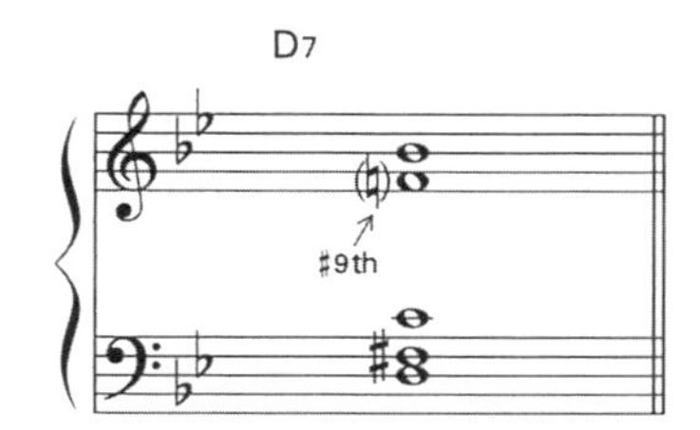

13th

6小節目G7のコードで使われています。

♭13th

コードでは使用されていませんが、2小節目D7と6小節目G7のところで、テーマのメロディ音が♭13thの音になっています。

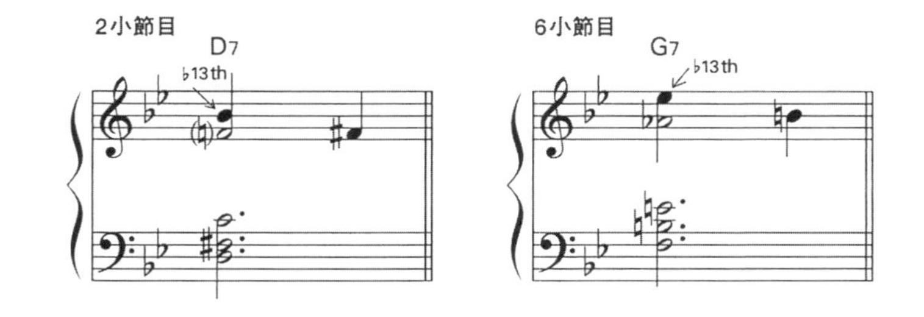

11th

7小節目Cm7のコードで使われています。

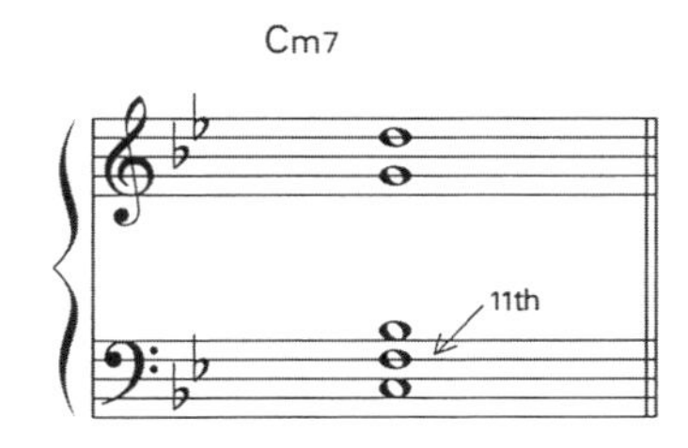

♯11th

4小節目G7のコードで使われています。

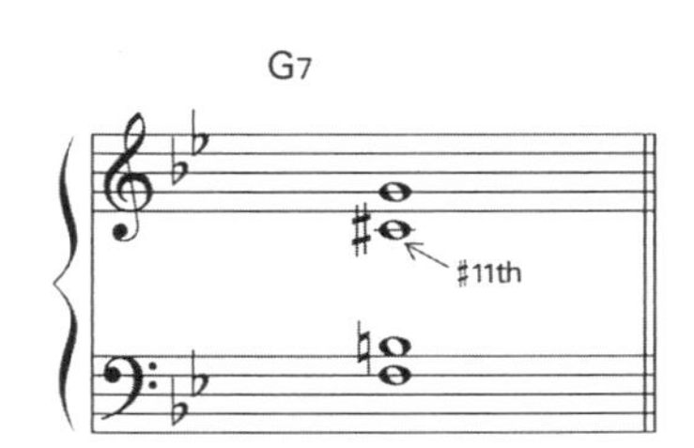

スケールとテンション

スケールには、その種類によって、それぞれ決まったテンションがあります。とくにテンションの種類が多いセブンス・コードでは、各種スケールとの組み合わせでテンションを覚えてしまうと便利です。

C7 で使われる主なスケールとテンションの例

C ミクソリディアン・スケール

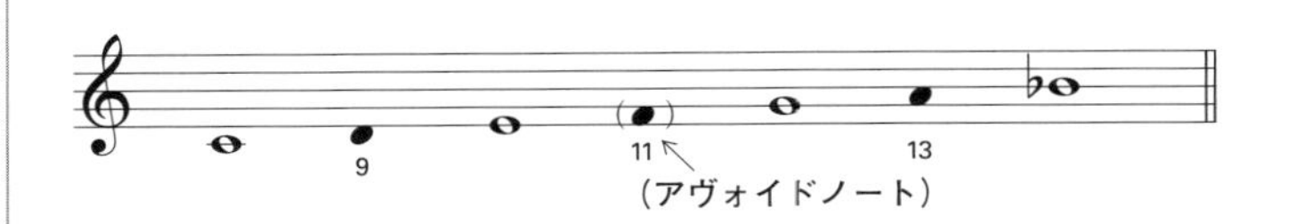

C リディアン・セブンス・スケール

C ホールトーン・スケール

C ハーモニック・マイナー・スケール・パーフェクト 5th ダウン

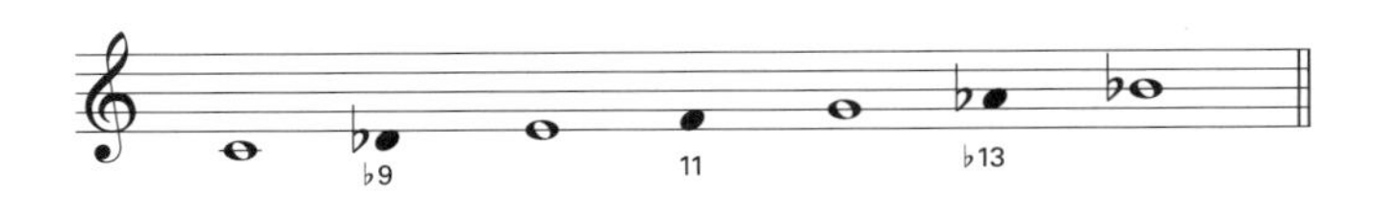

C オルタード・スケール

C コンビネーション・オブ・ディミニッシュド・スケール

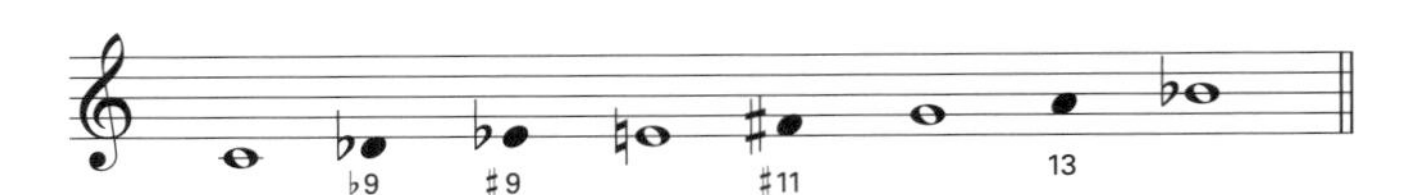

ディミニッシュ・スケールの「全音」「半音」…とは逆に、「半音」「全音」…の順に並んだスケール。

練習

1 （　）に音を記入して G オルタード・スケールを完成させましょう。

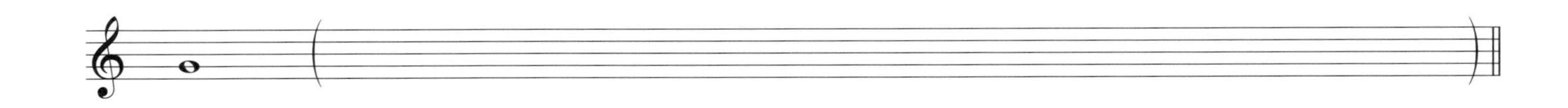

2 （　）に音を記入して G コンビネーション・オブ・ディミニッシュド・スケールを完成させましょう。

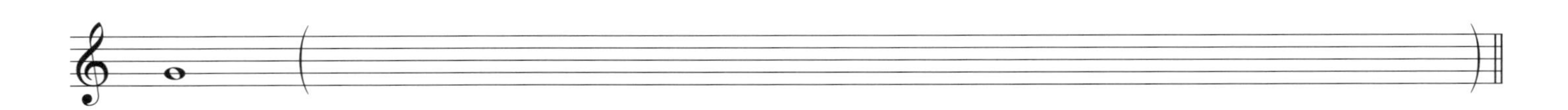

解答

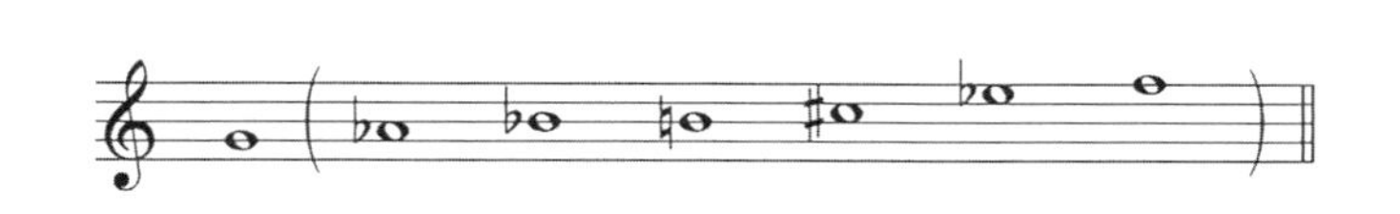

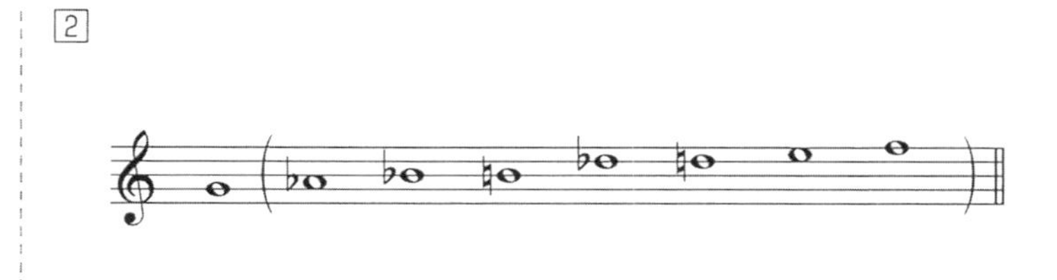

練習

『いつか王子様が』の冒頭8小節を使ったアドリブ例で、使われているテンションから、セブンス・コードのスケール名をあててみましょう（複数の可能性もあります）。

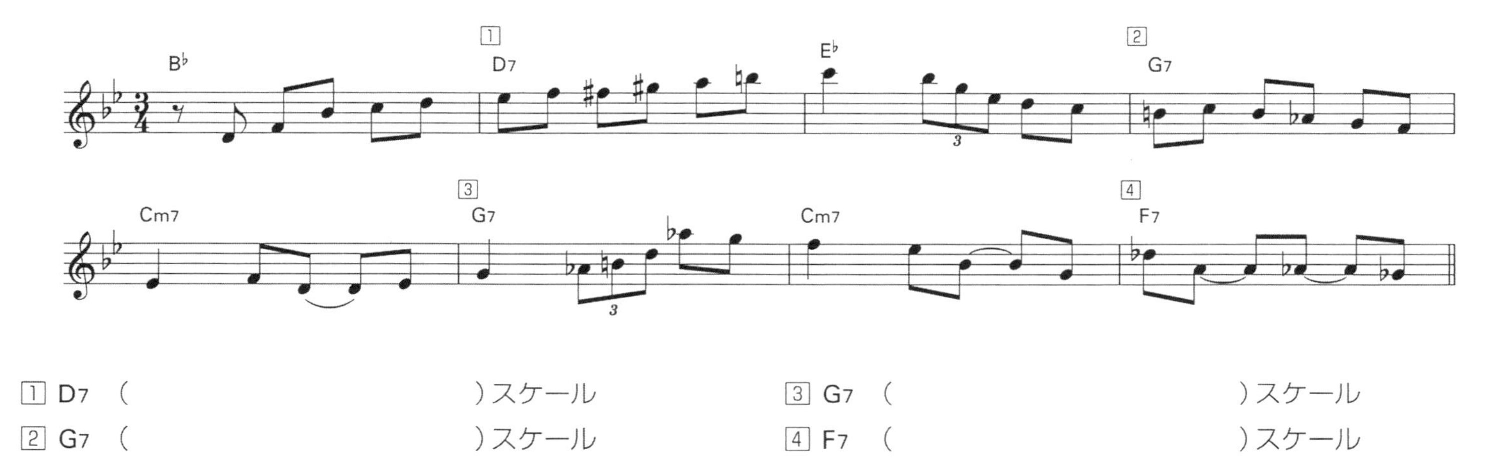

1 D7　（　　　　　　　　　　）スケール
2 G7　（　　　　　　　　　　）スケール
3 G7　（　　　　　　　　　　）スケール
4 F7　（　　　　　　　　　　）スケール

解答

1 Dコンビネーション・オブ・ディミニッシュド・スケール

2 ハーモニック・マイナー・スケール・パーフェクト5thダウン

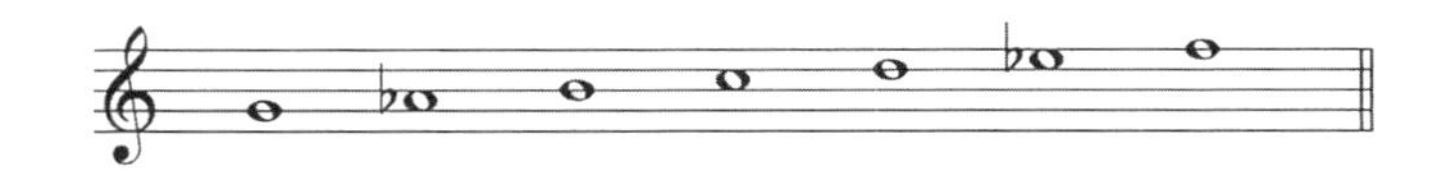

3 Gコンビネーション・オブ・ディミニッシュド・スケールまたはGハーモニック・マイナー・スケール・パーフェクト5thダウン

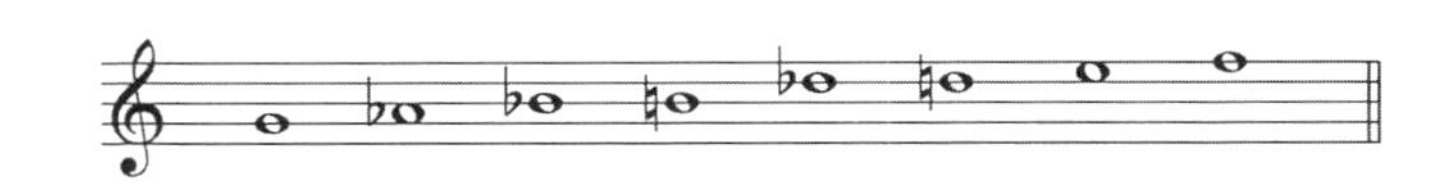

4 Fオルタード・スケール

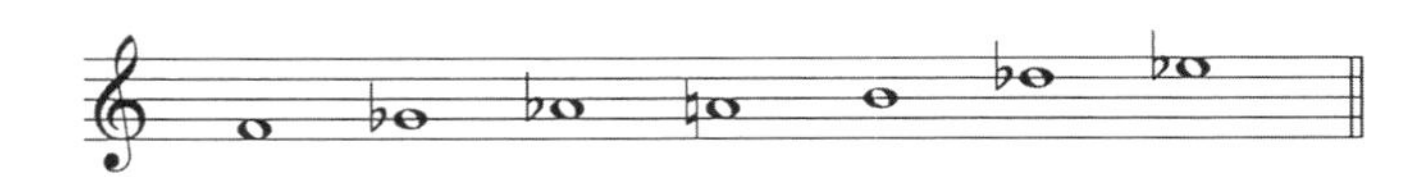

テンション感あふれるジャジーなフレーズ

では、テンションとスケールのまとめとして、スケールの種類が最も多いセブンス・コードで、実用的な各種フレーズをいくつか紹介しましょう。

セブンス・コードで使われるスケール

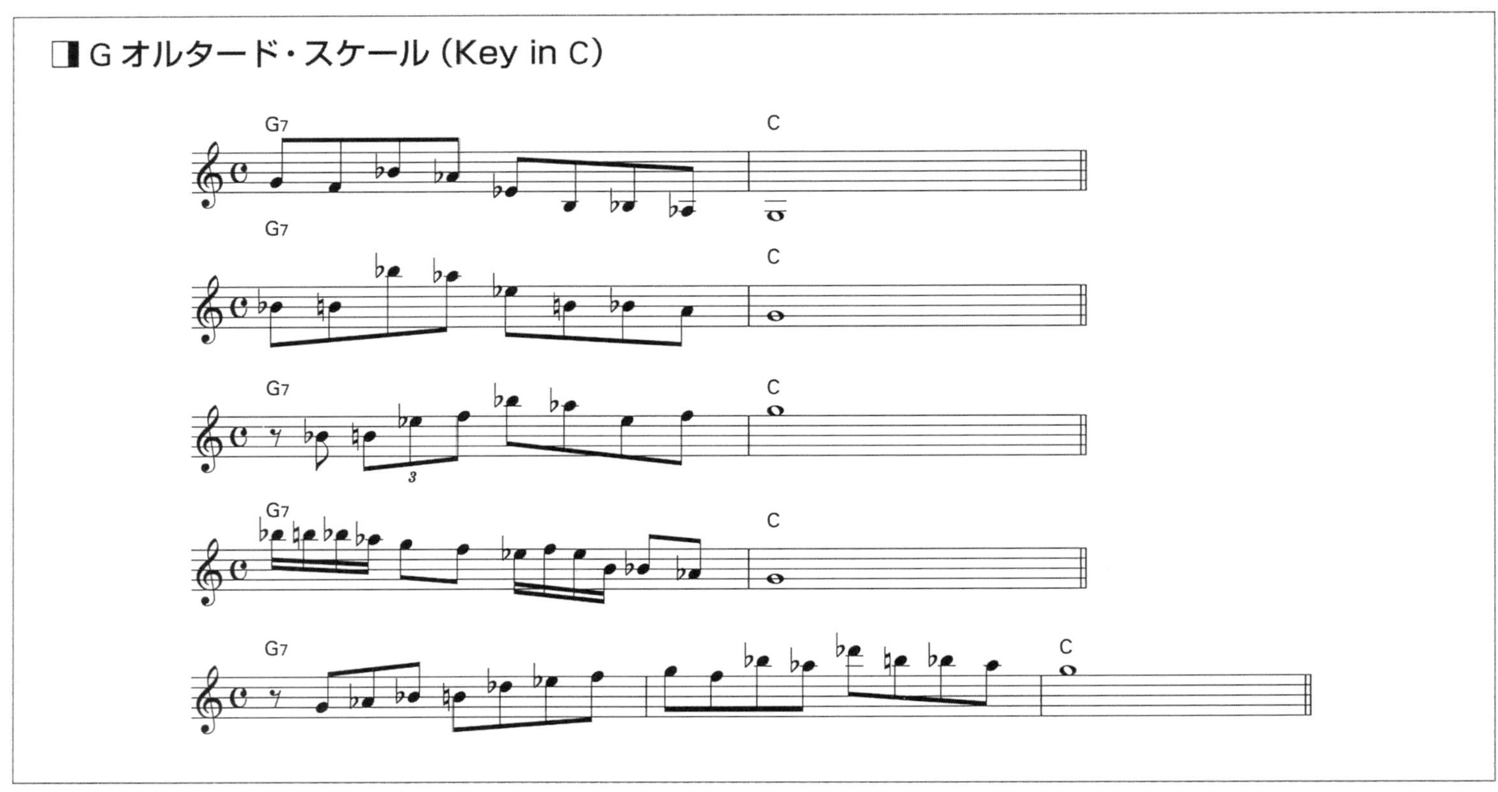

マイナー・コードに解決するセブンス・コードで使われるスケール

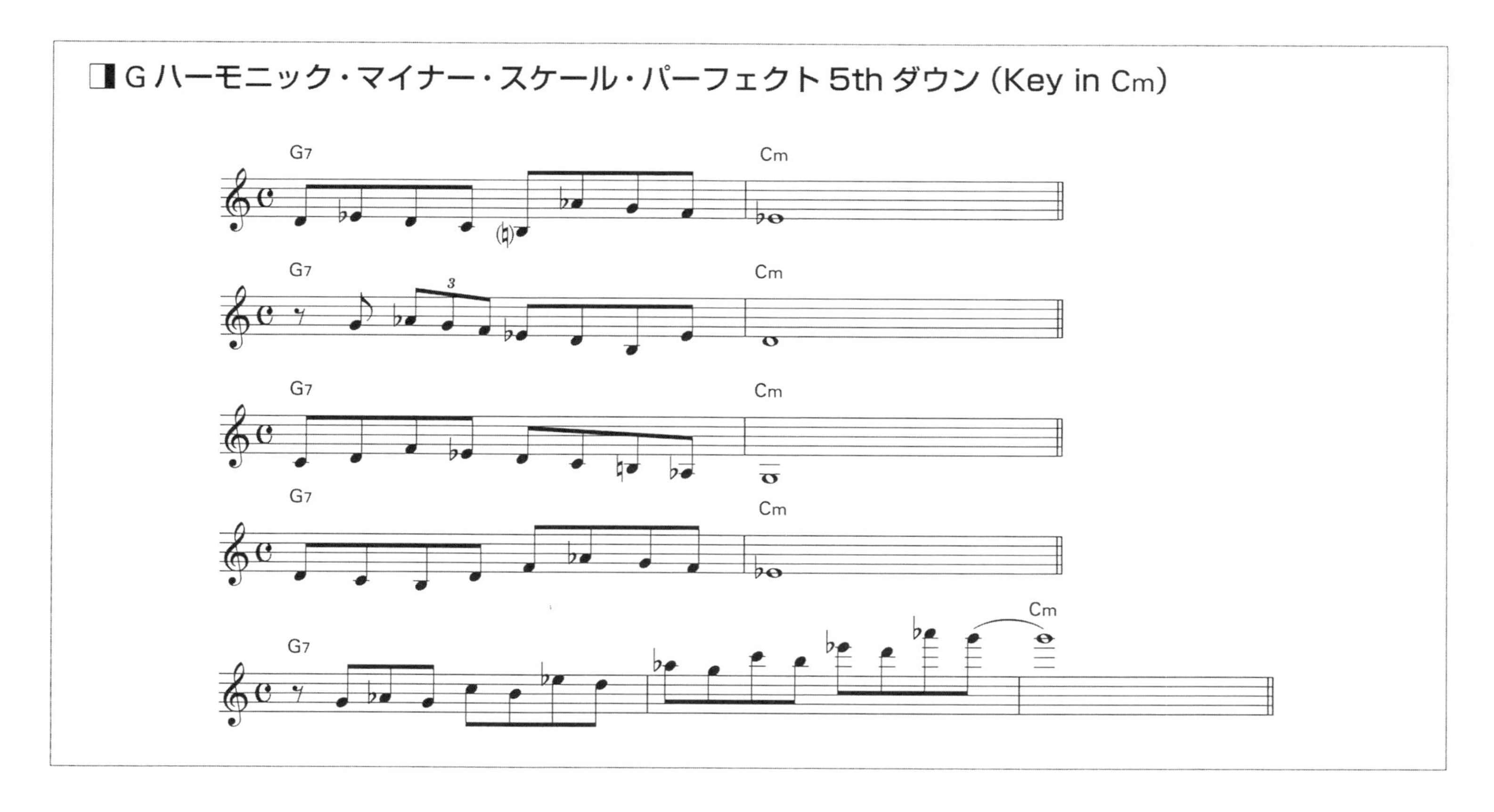

Ⅱ7→Ⅱm7→Ⅴ7／同じルートのマイナー・セブンス・コードへの解決などで使われるスケール

その他セブンス・コードで使われるスケール

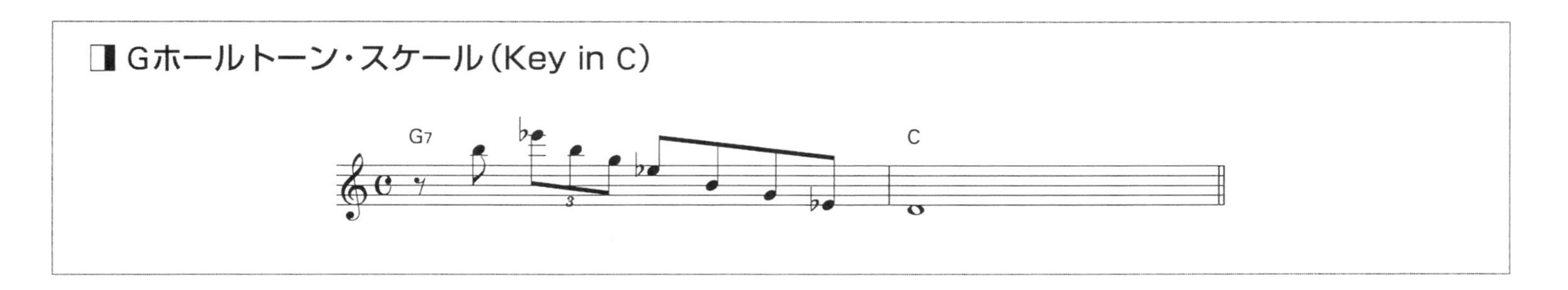

複数のスケールにあてはまるフレーズ

オルタード・スケール＆コンビネーション・オブ・ディミニッシュド・スケール

Gハーモニック・マイナー・スケール・パーフェクト5thダウン＆Gオルタード・スケール＆Gホールトーン・スケール

以上の例からも分かるように、セブンス・コードには複数のスケールやテンションがあり、いずれかのスケールを組み合わせて考えると、**結局は、ほとんどの音が使える**ということになります。明らかにコードの機能を阻害するような使い方をしない限り、演奏者の自由な判断にゆだねられることになります。

POINT

- テンションには9th・11th・13thとその変化音があり、スケールによって含まれるテンションが異なる。
- コードの機能によって、一応使われるスケールやテンションが決まっているが、実際には、1つのフレーズの中に複数のスケールが混在して使われることもあり、そのルールは絶対的なものではない。最終的には自分の耳と経験で音を選ぶことになる。

第3章　仕込みOKで余裕のアドリブ

ジャズ・ワルツ

ジャズで演奏される3拍子の曲はジャズ・ワルツと呼ばれます。クラシックのそれと異なるのは、ノリです。ジャズらしいノリで演奏してみましょう。

ジャズ・ワルツとは？

ジャズの曲で3拍子のものは、**ジャズ・ワルツ**といってクラシックのワルツとは区別され、基本的なリズムの"ノリ"はジャズの4ビートと同じになります。

ドラムのシンバルの基本的な刻み方

4ビート

ジャズ・ワルツ

クラシックでは1小節に4分音符を3つカウントするのが通常ですが、ジャズ・ワルツでは、4ビートと同じように8分音符が基本の単位となり、**ウラ拍を強調し、スウィングして演奏**します。

ジャズ・ワルツのノリ

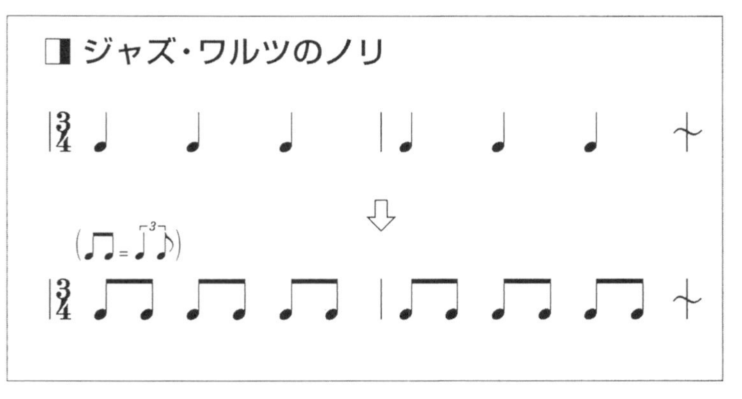

アドリブでは、これを基本に3連符や16分音符、休符やタイなどを使って4ビートと同じようにシンコペーションを付け、いろいろなフレーズを組み立てます。

アドリブ・フレーズのリズム

3連符

16分音符

4分の3拍子と8分の6拍子

ジャズ・ワルツでは、よく4分の3拍子を8分の6拍子と置き換えて演奏されることがあります。これは、1小節の中に8分音符を6つ数えるわけですが、その1拍目と4拍目にアクセントを付けると、8分音符を3つずつに分けた3連符の感覚になります。これが、いわゆる4分の3拍子の1小節を2等分した"1拍半のノリ"です。

1拍半のリズムは、よくジャズ・ワルツの左手のコンピング（伴奏でコードをきざむこと）で利用されます。とくにミディアム・テンポからアップ・テンポでは、スピード感が出て、よりジャズっぽいノリが出せます。

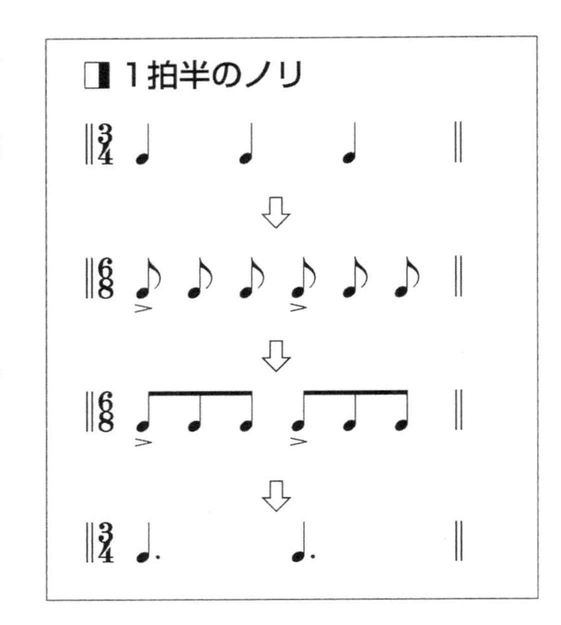

また、ちょっと高等な技になりますが、１拍半の３連符をさらに２等分して１小節を４等分することができます。これは、３拍４連といい、文章で説明すると、難しい感じがしますが、ジャズ・ワルツではよく使われる手法です。テーマをくずしてフェイクする時にもよく見られます。この手法を利用すると、３拍子からそのまま４ビートに移行する、などということも可能で、バンド演奏などでよく使われています。

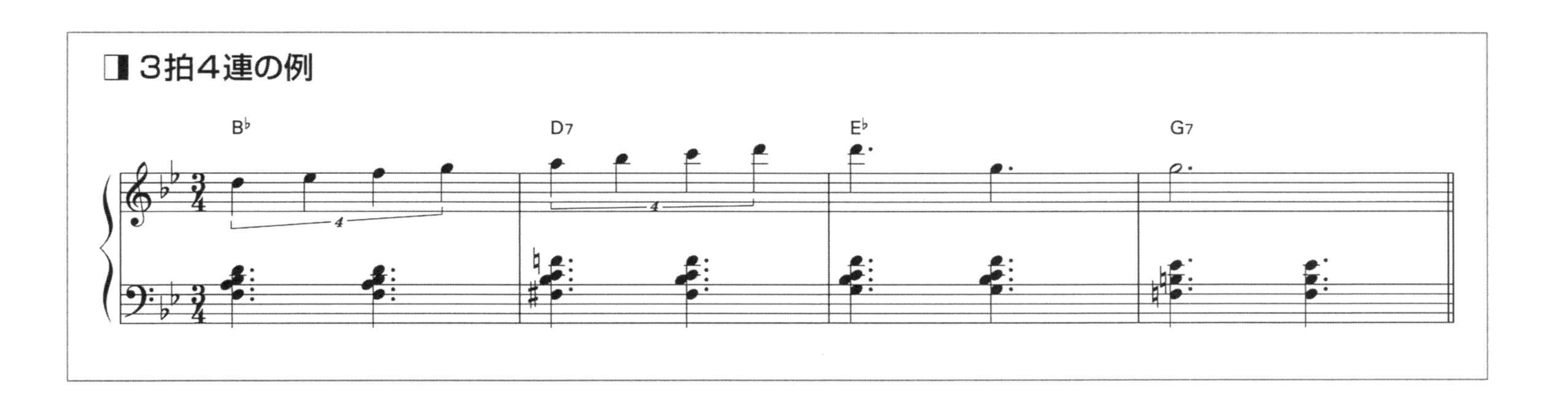

練習

『グリーン・スリーヴス』でジャズ・ワルツのコンピングの練習をしてみましょう。

解答例

この解答例はベーシストがいる時などのバンド演奏に向いています。ソロ・ピアノで演奏する時には、ベースの役割を左手で補うことになります。具体的には、次の譜例のように、**コードのルートなどを低音で時々入れてコード感を出す**ようにします。

POINT

・ジャズ・ワルツは、基本的に4ビートと同じように8分音符単位でウラ拍を感じながらスウィングする。

・4分の3拍子を8分の6拍子にカウントして、1小節を1拍半ずつのノリで演奏することがある。

第4章
ちょっとプロフェッショナルなアドリブ

コードからの解放をめざして

コードという概念を持たない“モード・ジャズ”のちょっとプロフェッショナルな世界に挑戦してみましょう。

 モードとは？

モードとは、1950年代～1960年代頃、マイルス・デイヴィスなどが、コード進行を元にするアドリブ奏法に行き詰まりを感じ、より自由な即興演奏をめざして考案した方法論で、7種類の教会旋法を元にしています。これは、ドレミファソラシドのスタートの音を変えた音列からなるスケールで、モード奏法では、これらの中から特定のスケールを選んでメロディを作ります。ちなみに、この音列自体をスケールの同義語として、モードと呼ぶ場合もあります。

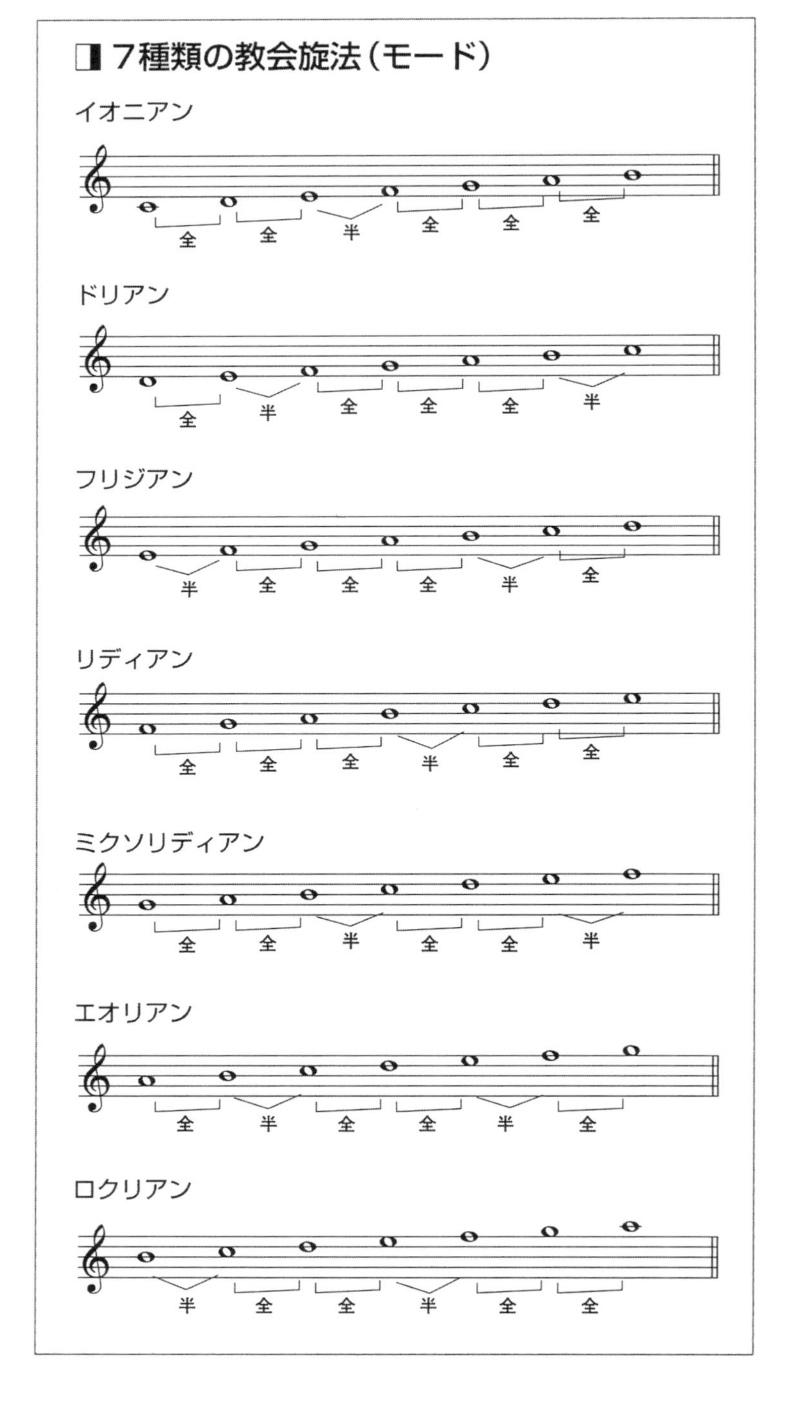

モード奏法におけるコードとスケールの概念

それでは、モードで使われる典型的なコード進行の一例を見てみましょう。

モードで使われるコード進行の一例

このようにモードの曲には、普通のコード進行らしきものはありません。上の例ではDm7とE♭m7が繰り返されているだけで、一体、キーは何？　トニック･コードはどれ？　って感じですね。実は、これこそが、モード･ジャズといわれるものなのです。今まで扱ってきた曲にはすべてコード進行があり、調性がはっきりしていましたが(一時転調を含めて)、モードの曲は調性がはっきりしない、それどころかメジャーなのかマイナーなのかといった枠さえも外したところで、即興の自由を追求した音楽なのです。そこに、コードという概念はなく、7種のモードから選ばれたスケールを元に、ハーモニーやアドリブのフレーズが構築されます。

それでは前ページの譜例で使われているスケールを見てみましょう。楽譜によってはDm7とE♭m7などのコード名が記載させているものもありますが、モードの曲の場合、それは便宜上のもので、実際にはコードではなく、Dm7ならDドリアン・スケール、E♭m7ならE♭ドリアン・スケールを使う、という意味になります。これらは、先ほどの7種類の教会旋法の音列をそのままスタートの音に合わせて平行移動したものです。

ただ、アドリブをする際、ドリアン・スケールだけで面白いフレーズを作るのは限界があるので、多くは別のコードやスケールを自分で想定し、それに沿って演奏されるようです。例えば最も ポピュラーな方法として、Dドリアンスケールの場合、そのスケールが引き出されるDm7というコードを想定して、直前にドミナント・コードのA7を入れる等があります。

その他、モードを中心にして、その周辺で、自由にスケールやコードを自分で設定することもできます。例えばEm7は、Dドリアン・スケールが含まれるCのメジャー・スケール上のコードであることから、同じスケールの他のダイアトニック・スケール・コードを使ったものです。また、E♭7はDm7のドミナント・セブンス・コードA7を代理コードのE♭7に変えたものです。

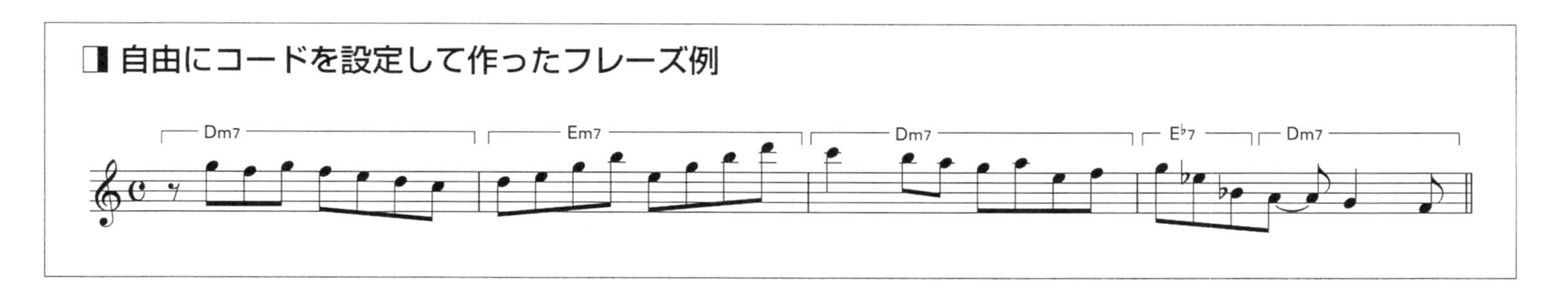

それでは、ドリアン・スケールを使ったアドリブの例を見てみましょう。所々でドリアン・スケール以外のコードやスケールを設定していますので、参考にしてください。

モーダルなバッキング・スタイル

モード・ジャズのもう１つの特徴が、そのバッキング・スタイルです。コードから解放されて自由になったアドリブには、当然、従来のようなコードの押さえ方はマッチしません。

基本的に、バッキングは設定されたスケールの音ならどれを使っても良いのですが、ポイントはアドリブのフレーズと同様、コード感が出ないような押さえ方をする、ということです。一般的によく使われるのは完全４度の音程を取り入れた４度重ねの和音で、１つのモード（スケール）から、それに含まれる音を使って、いろいろなパターンを作ることができます。

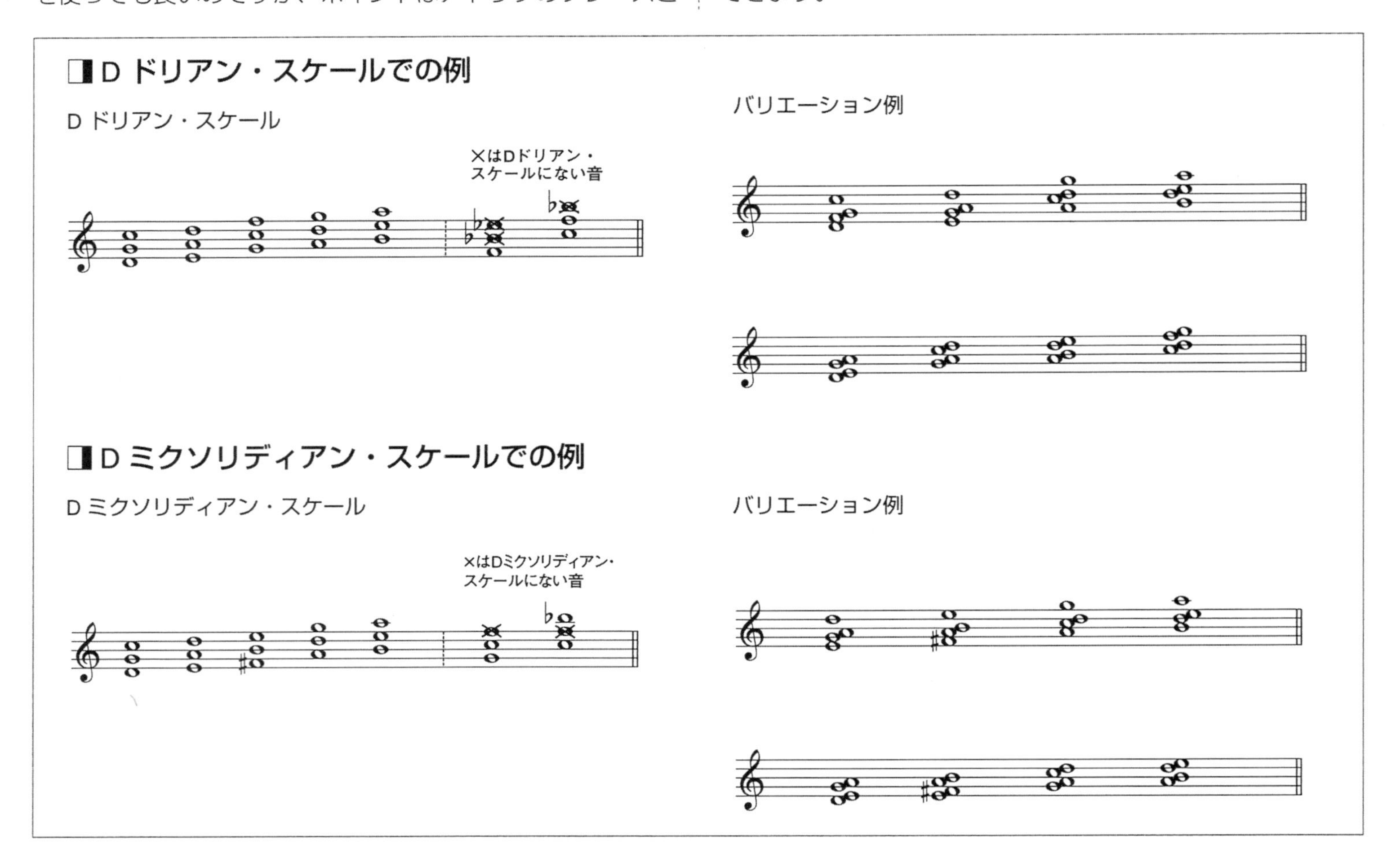

４度重ねのコードは、しばしばsus4コードとして表記されますが、sus4コードは分数コード（onコード）と解釈することによって、新たなヴォイシングが可能になります。

また、４度重ねのコードは曲のテーマやイントロ、エンディング、アドリブフレーズなど、いろいろな場所で使うことができます。

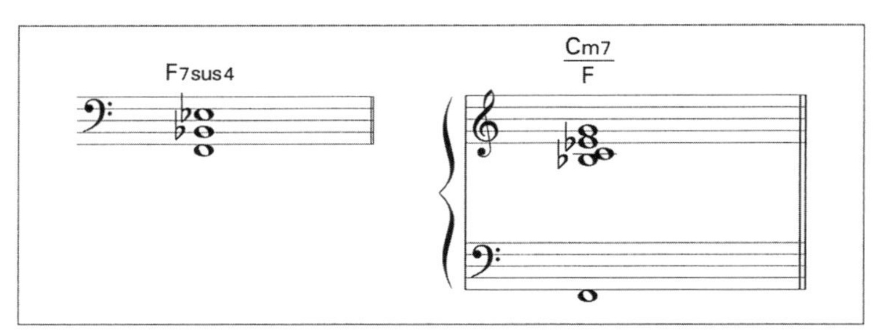

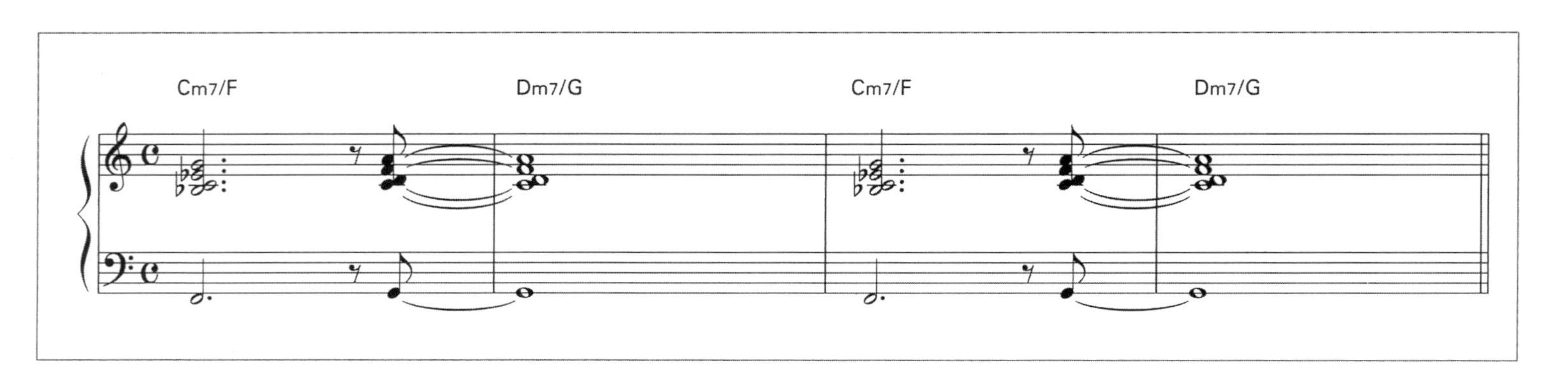

モードとペンタトニックの関係

ペンタトニック・スケールを4度音程に並び替えて使われることが多いのもモード・ジャズの1つの特徴です。

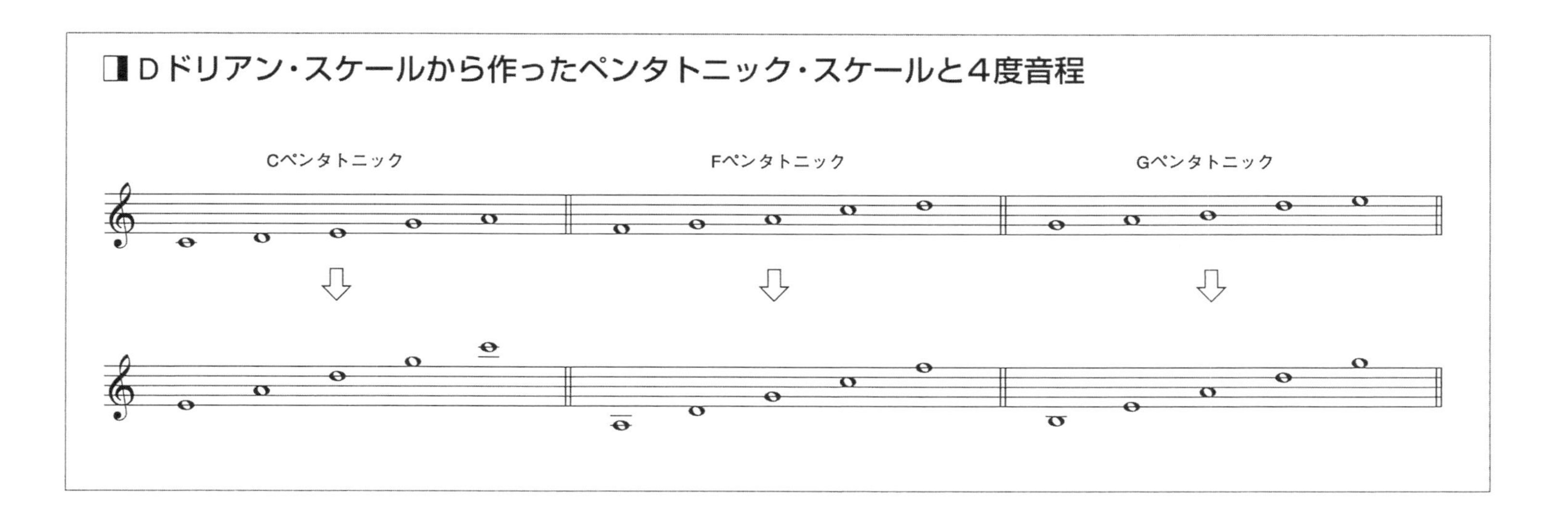

■Dドリアン・スケールから作ったペンタトニック・スケールと4度音程

練習

1 (　)に音を記入して、Cドリアン・スケールを完成させましょう。

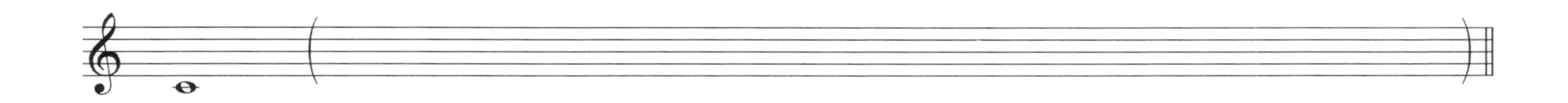

2 次の3種類のペンタトニック・スケールをそれぞれ4度の音程に並び替えましょう。

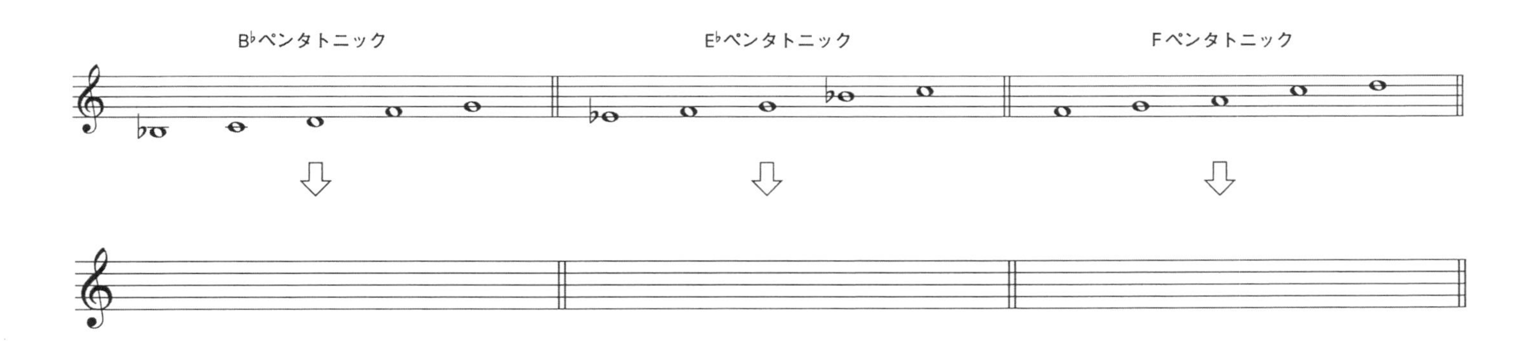

解答

1

2

ペンタトニック・スケールや4度音程を使ったモード・ジャズのフレーズ例

POINT

- モード・ジャズでは、コードではなく、設定されたスケールに基づいてアドリブ演奏がされる。その際、モード（スケール）上の音から作られるコードや、新たに想定したコード進行でアドリブをすることができる。
- モード・ジャズのバッキングでは、コード感のない4度重ねのハーモニーなどがよく使われる。
- モーダルな曲ではペンタトニック・スケールや、4度音程を使った調性感のないフレーズがよく使われる。

アウト・フレーズを作る

モード以外の既存の曲でも、最近はとくに、調性感のないアドリブはごく普通に行われるようになってきています。

コードやスケールから外れるということ

調性から外れることを“アウトする”などという言い方をしますが、ここからはいよいよ大詰め、いろいろな曲でアウトするアドリブの手法について見ていきましょう。

アウトする、つまり調性感をなくすとは、詰まるところ、調性に基づいたダイアトニック・スケールやダイアトニック・スケール・コードを前面に出さなければ良いわけですから、まずは、それらから音を外してフレーズを作ってみましょう。

右上の最初の譜例がCイオニアン・スケール（＝Cメジャー・スケール）、後の譜例がCリディアン・スケールになっています。スケールの4番目の音を半音上げたF♯のところで、フワッと浮いたような感じがすると思います。これは、もうアウトの感覚ですね。

このように、通常使われているスケール以外のスケールをあえて使ってアウト感を出すやり方は、セブンス・コードにも応用することができます。後の譜例ではフレーズの中で使われているスケールをGミクソリディアン・スケールからGリディアン・セブンス・スケールに、さらにリディアン・セブンス・スケールからGコンビネーション・オブ・ディミニッシュド・スケールに変化させたものです。

ダイアトニック・スケールからGミクソリディアンを使った場合（Key in C）

Gミクソリディアン・スケールのフレーズ

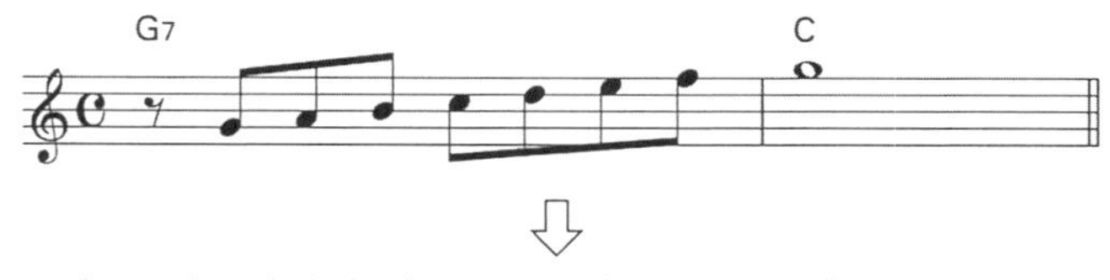

⇩

4番目の音を半音上げるとGリディアン・セブンス・スケールになる

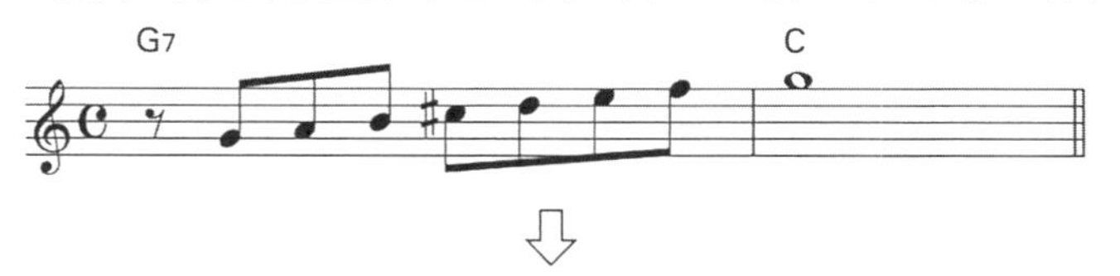

⇩

さらに音を外すとGコンビネーション・オブ・ディミニッシュド・スケールになる

Gコンビネーション・オブ・ディミニッシュド・スケールシュド・スケールシュド・スケール

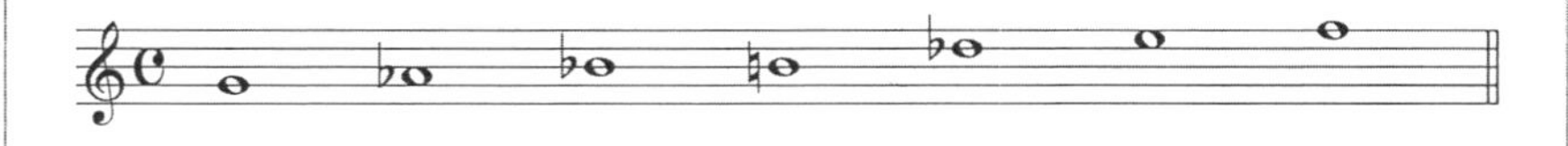

他に、コンビネーション・オブ・ディミニッシュド・スケールやホールトーン・スケールなどのように、それをなぞるだけでアウトっぽいフレーズになるスケールを上手に使うことも、アウトする手軽な方法の1つです。

代理コードからのアプローチ

CやG7でスケールの4番目の音を半音上げたフレーズを例に上げましたが、コードのルートが増4度の関係になる裏コードに置き換えることによっても、アウトっぽいフレーズを作ることができます。他にも、Cの代理コードとしてEm7、Am7、G7の代理コードとしてBm7^{-5}などがありますが、それらは、元のコードとの共通音が多く、すべて背景のメジャー・スケールの音で構成されているため、あまりアウト感を出すことはできません。

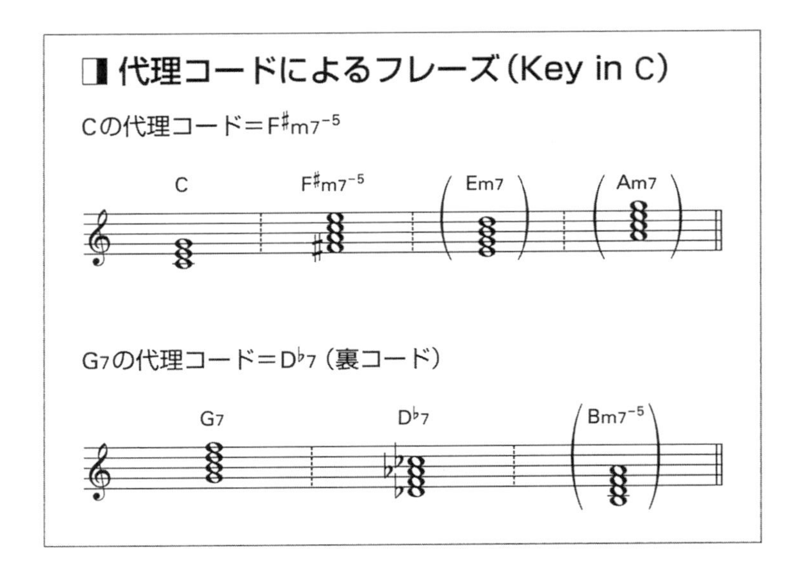

代理コードによるフレーズ（Key in C）

次の例は、G7でミクソリディアン・セブンス・スケールを使ったフレーズとD♭7のD♭リディアン・セブンス・コードを使ったフレーズの比較です。リディアン・セブンス・スケールはGオルタード・スケールの5番目から始めたものと同じになります。コードにテンションが多く含まれている程、アウト感が強まるという論法が見えてきますね。

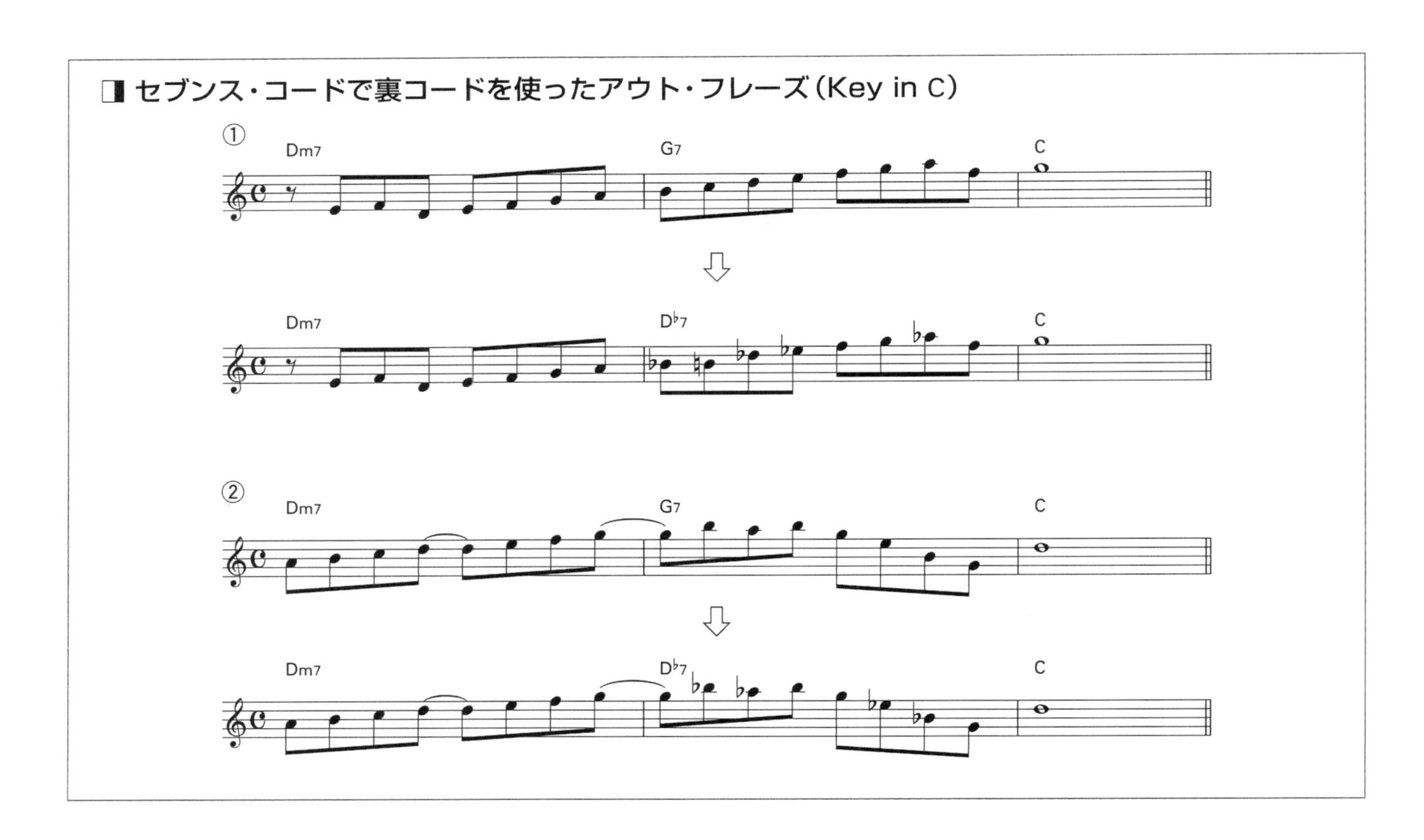

セブンス・コードで裏コードを使ったアウト・フレーズ（Key in C）

リハーモナイズしてアウトする

それでは、さらにアウトしたフレーズを作るために、代理コードをもっと複雑にしたリハーモナイズによるアウト・フレーズを作ってみましょう。モード・ジャズのアドリブには、元のコードに別のコードを入れて新しいコード進行を作り、それに沿ってアドリブをする、という手法がありましたが、それをモード以外の曲にも応用することができます。一番簡単なのは、あるコードに対し、その前にドミナント・セブンス・コードを入れる方法です。

ドミナント・セブンス・コードは、代理コードやコードの分割などを行うことにより、さらにバリエーションが広がります。

ポリ・コードで浮遊するアドリブ

ポリ・コード(polychord)とは2つ以上のコードが重なってできたコードのことで、**アッパー・ストラクチャー・トライアド**ともいいます。元となるコードの上に、新しいテンションの音が加わって**元のコードの色彩感が弱まり、調性が曖昧になる効果**があります。

このポリ・コードを想定して、そこから引き出したスケールを使うことによって、アウト感の強いフレーズを作ることができます。

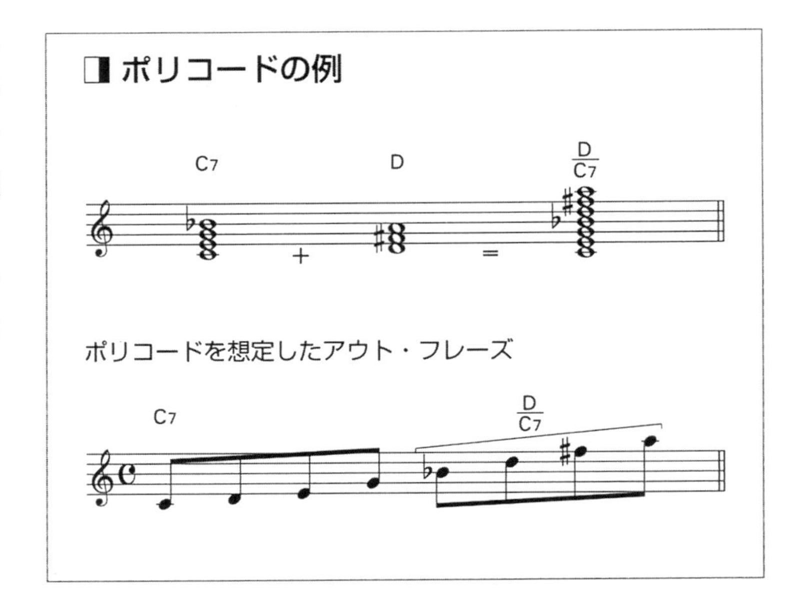

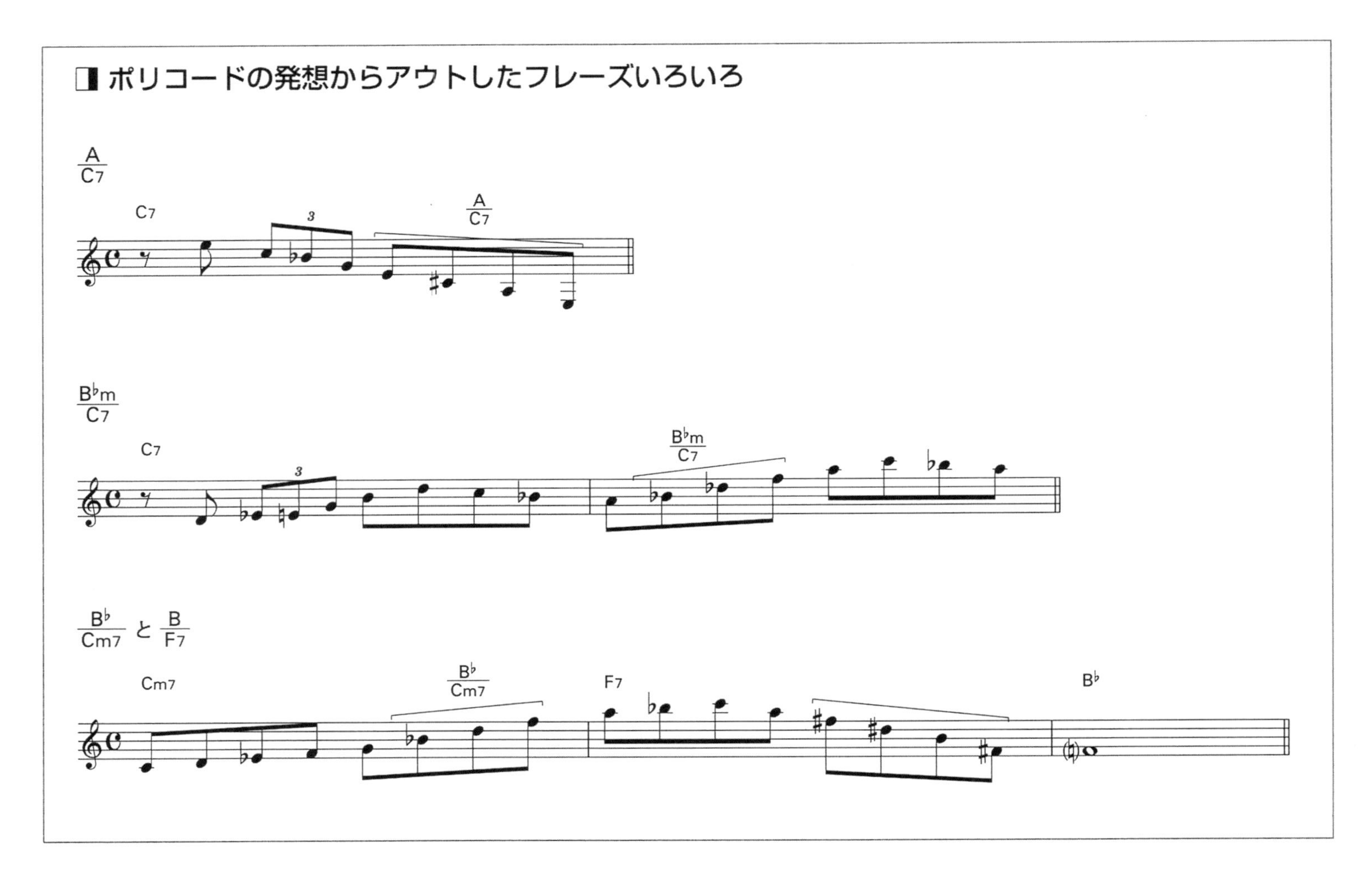

他にもいろいろなアッパー・ストラクチャー・トライアドがあります。トライアドに含まれるテンションの数によってアウトっぽさが違ってくる感じを実際に試してみましょう。

ペンタトニックの応用

モード・ジャズのところで出てきたペンタトニック・スケールと4度音程ですが、これらを普通のコード進行のある曲でも使うことができます。

ドミナント・セブンス・コードとペンタトニック

ペンタトニック・スケールそのものについては、ブルースのところでも出てきているので（P.38）、ここではとくに、スケール・アウトするフレーズ作りに限定して説明します。**ペンタトニック・スケールは、テンションの種類が多いドミナント・セブンス・コードにおいて最も効果的に利用**されます。ただし、ペンタトニックの中にメジャー7th（長7度）の音が含まれているものは、ドミナント・セブンス・コードの重要な機能を示す7th（短7度）の音とぶつかるため、**連続したパターンの中や速いパッセージで使用するとき以外には注意が必要**です。

セブンス・コードのコード・トーンと12のペンタトニック・スケールとの関係を見てみましょう。次の一覧では、黒く塗りつぶした音がコード・トーン以外の音です。ペンタトニックの種類によって、コード・トーンとノン・コード・トーンとの比率が違うことを確かめてみましょう。

ノン・コード・トーンの多い順に並べると、次のようになります。

ノン・コード・トーンの数	ペンタトニックの種類
5個	G♭ペンタ
4個	D♭ペンタ、Eペンタ、A♭ペンタ、Aペンタ、Bペンタ
3個	Cペンタ、Dペンタ、E♭ペンタ
2個	Fペンタ、Gペンタ、B♭ペンタ

メジャー・セブンス・コードとマイナー・セブンス・コード

次に、メジャー・セブンス・コードで、コード・トーンと12のペンタトニック・スケールとの関係を表わしてみます。

メジャー・セブンス・コードと12のペンタトニック・スケール（例：Cmaj7）

ドミナント・セブンス・コードと同様、ペンタトニック・スケールの種類によって、ノン・コード・トーンの数は違ってきます。

ノンコード・トーンの数	ペンタトニックの種類
5個	D♭、G♭
4個	A♭、B
3個	D、E♭、E、F、A、B♭
2個	C、G

ただし、ここで注意すべきは、**ノン・コード・トーンの個数だけで単純に調性のインサイドからアウトサイドへの度合いをランクづけはできない**、ということです。例えば、Cメジャー・セブンス・コードにおけるG♭ペンタトニック・スケールは、ノン・コード・トーンが最も多く含まれるペンタトニック・スケールの1つなのですが、実はソ♭（＝♯11th）の音は、Cの代理コードF♯m7⁻⁵のルートであることから、逆に非常にインサイド寄りなサウンドになります。

これは、ドミナント・セブンス・コード、マイナー・セブンス・コードなどにもあてはまることで、調性のインサイドからアウトサイド寄りになる度合いは、ペンタトニック・スケールに含まれるノン・コード・トーンの個数だけではなく、その種類によっても左右されます。具体的にはテンションの性格によるわけですが、一番確実なのは、やはり自分の耳で判断することかもしれません。

最後にマイナー・セブンス・コードでも見てみましょう。考え方は同じです。

マイナー・セブンス・コードと12のペンタトニック・スケール（例：Cm7）

練習

いろいろなコード進行におけるペンタトニック・フレーズから、各コードで使われているペンタトニック・スケールを当ててみましょう。

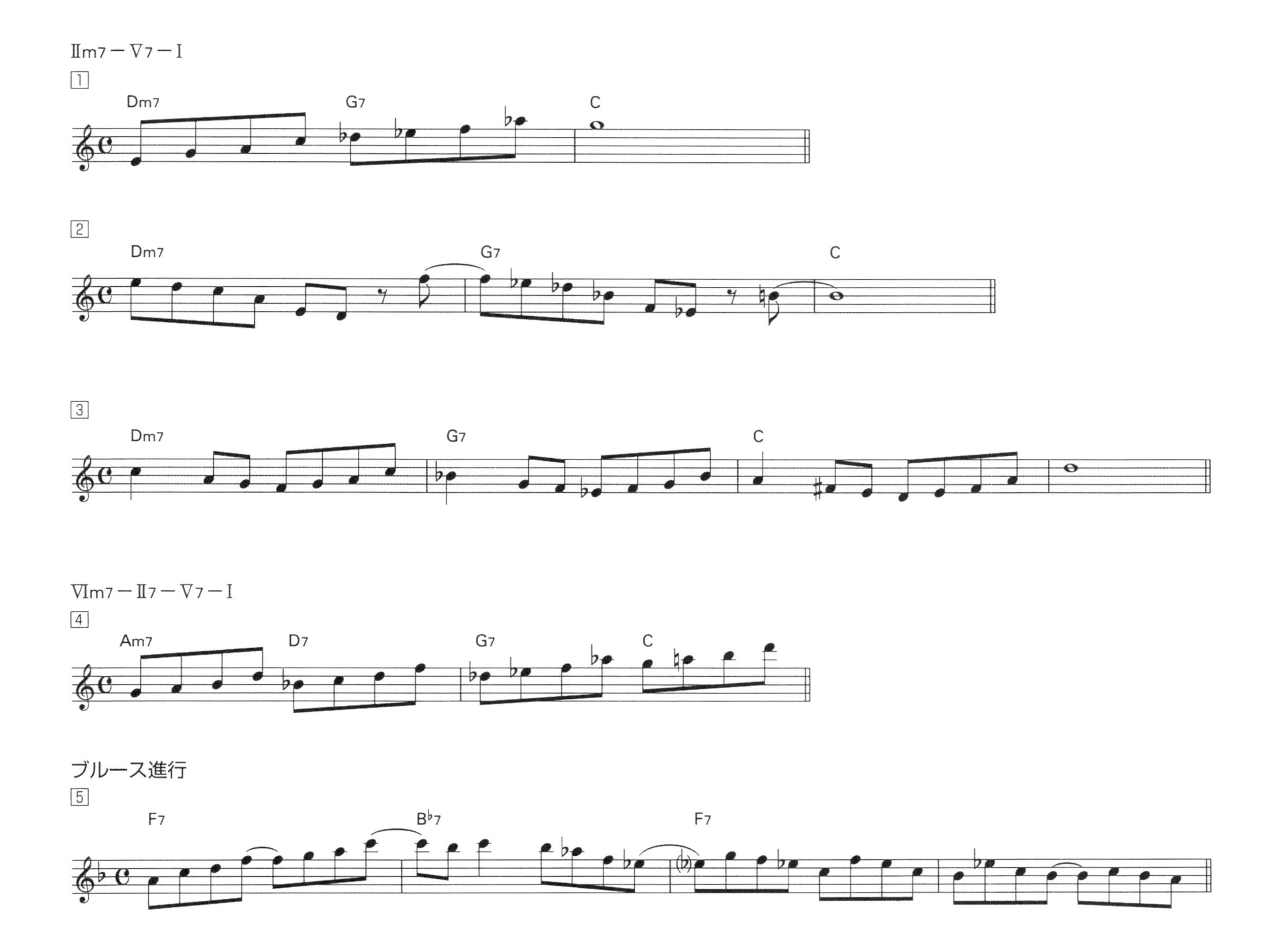

解答

1 Dm7（Cペンタトニック）、G7（D♭ペンタトニック）
2 Dm7（Cペンタトニック）、G7（D♭ペンタトニック）
3 Dm7（Fペンタトニック）、G7（E♭ペンタトニック）、C（Dペンタトニック）
4 Am7（Gペンタトニック）、D7（B♭ペンタトニック）、G7（D♭ペンタトニック）、C（G7ペンタトニック）
5 F7（Fペンタトニック）、B♭7（A♭ペンタトニック）、F7（E♭ペンタトニック）

実際には、ペンタトニックのみで延々とアドリブ・ソロを続けることはまれで、通常、その他の音を混ぜながら使います。

❏『酒とバラの日々』のコード進行、ペンタトニック・フレーズ例

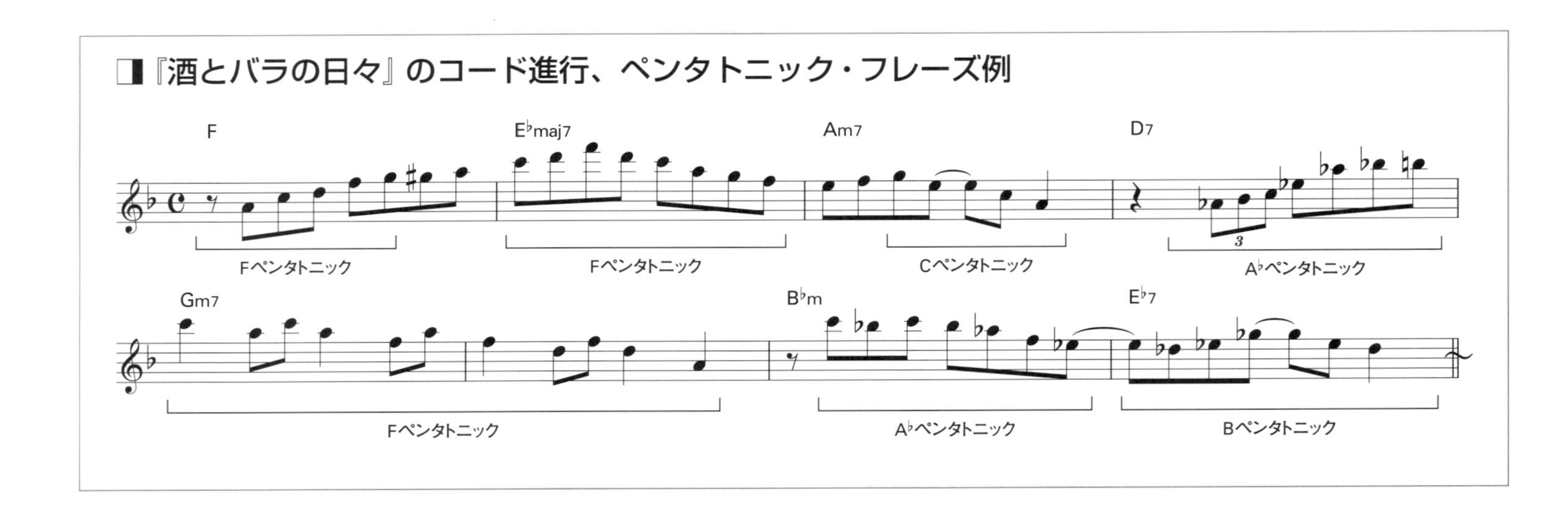

完全４度音程

完全４度音程フレーズは、基本的にペンタトニック·スケールと同じカテゴリーとして、コード・トーンに対する音の選び方なども同様になります。スタートの音や重ね方、音のつなげ方などによって、フレーズのアウトサイドな色彩の表れ方に差が出ます。

❏12 音すべての４度音程関係

❏４度音程フレーズとその元となるペンタトニック・スケール

４度音程のフレーズを作る時、音列の中から時々、音をオクターブ上下に変換させるのがコツ。

通常、4度音程フレーズは、スケール音やペンタトニックなどと組み合わせて使われます。

自由にインサイド・アウト

スケールアウトで意外と難しいのが、インサイドへの戻り方です。クロマチック・アプローチを使うなど、スムーズに戻るようなフレーズを心がけましょう。

巨匠に学ぶアドリブ・フレーズのヒント

チャーリー・パーカー、ジョン・コルトレーン、ビル・エバンスといったジャズの巨匠たちは、いつの時代も、楽器問わず多くのジャズ・プレイヤーの手本となってきました。

チャーリー・パーカー

1940年代後半～50年代前半にブームとなった**ビ・バップ**（bebop 略してbopとも）を代表するアルト・サックス奏者チャーリー・パーカーのバップ・フレーズは、アドリブの入門として、ピアニストにとっても大変参考になります。

バップの曲はアップ・テンポで演奏されるものが多く、細かいコード・チェンジを特徴とし、コード・アルペジオをベースにしたフレーズや、3連符、クロマチック·アプローチ、ディレイド・リゾルブなどが多用されます。『ドナ・リー』は、もうテーマをこのままアドリブと呼べそうなくらいに、バップの要素がぎっしり詰まった曲です。パーカーのアドリブと合わせて、典型的なバップ・フレーズを探ってみましょう。

ジョン・コルトレーン

マイルス・デイヴィス・クインテットのメンバーでもあったテナーサックス奏者ジョン・コルトレーンは、マイルスがやがてモードという手法でコードからの解放を目指したのに対し、コード進行を細分化することによる表現の可能性を追求し、ついに『ジャイアント・ステップス（Giant Steps)』という彼の代表作に到達しました。『ジャイアント・ステップス』は従来の楽曲から見ると、あきらかに風変わりで画期的ともいえるコード進行になっています。でも、よく見てみると、実はバラバラに見えたコードの並びには、ちゃんと緻密に計算されつくした規則性があるのです。手がかりとしてツー・ファイブに目をつけてみましょう。┌─┐↓ の部分がⅡm7－Ⅴ7、⌒↓ は４度進行を表しています。

『ジャイアント・ステップス』テーマ

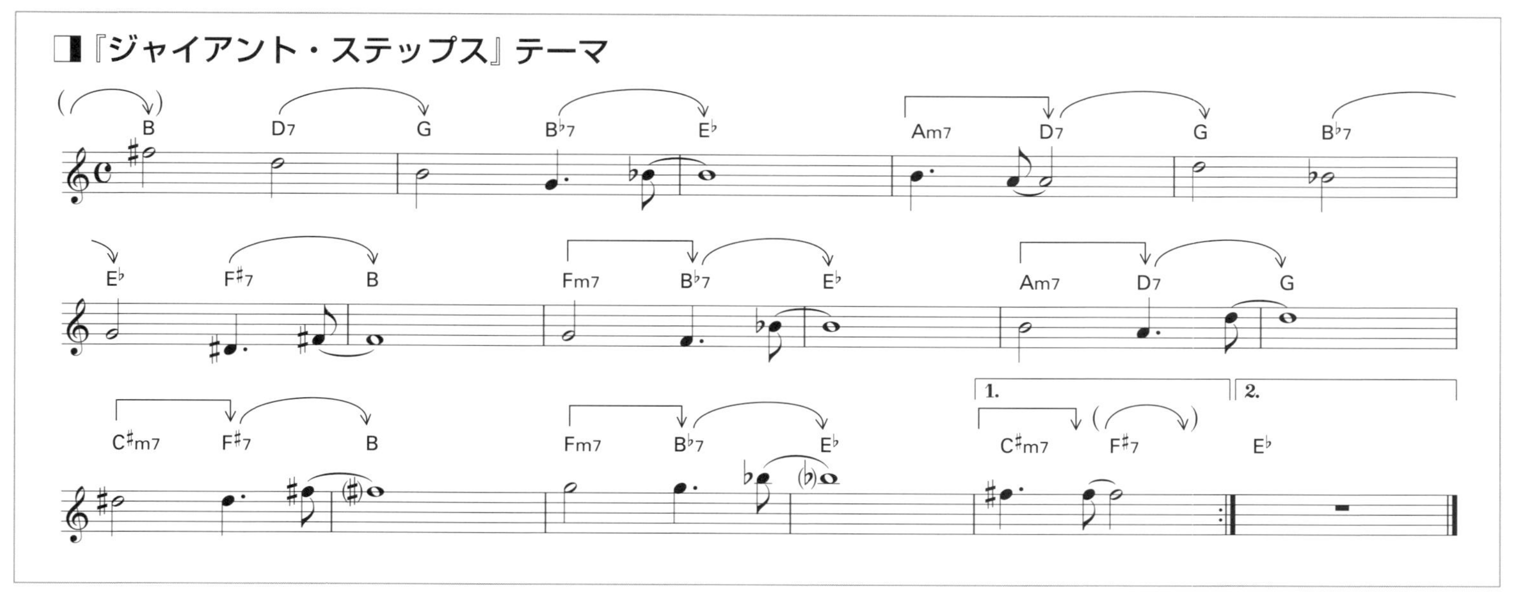

つまり、この曲は⌒↓箇所でBとGとE♭、３つのキーの間を行ったり来たりしていることが分かります。アドリブは、それぞれのキーごとに、細かく切り替えて行なうことになります。

『ジャイアント・ステップス』アドリブ例

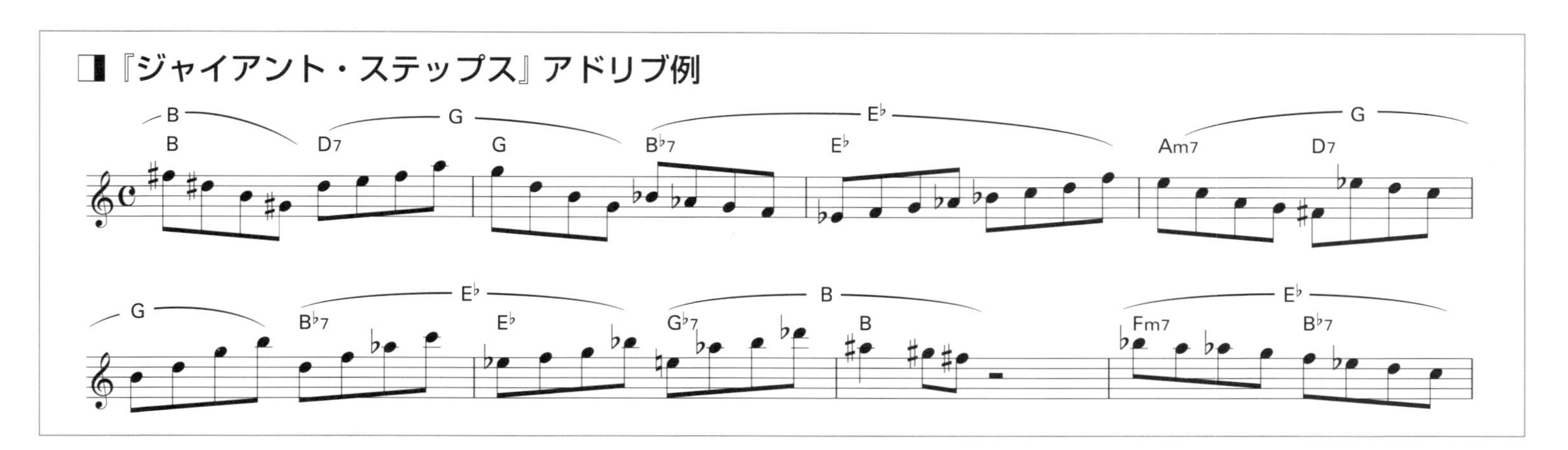

『ジャイアント・ステップス』には、コルトレーンが確立した**コルトレーン・チェンジ**というコード進行が使われています。コルトレーン・チェンジとは、あるコードからルートが短３度上のセブンス・コードにいき、トニックに解決、そして再びルートが短３度上のセブンス・コードに行き、そこからさらにトニックに解決というコード進行の流れをいいます。このアイデアは、以降のアレンジや作曲の手法に多大な影響を与えました。

コルトレーン・チェンジ

例　｜B　D7｜G　B♭7｜E♭｜～

Bから、ルートが短３度上のD7にいきドミナント・セブンス・コードとしてGへ解決。そこから同じようにルートが短３度上のB♭7へいき、E♭に解決。

ビル・エバンス

日本でもとくに人気の高いジャズ・ピアニストの１人であるビル・エバンスは、繊細で美しいヴォイシングを特徴とし、また、ピアノ・トリオにおいて、それまでバッキング的な存在であったベースやドラムスを三者対等な立場に置き、お互いに刺激されながら即興を行う**インター・プレイ**というスタイルを作った功績でも知られています。

それではまず、エバンスの代表的なアルバム『ポートレイト・イン・ジャズ』に収められている『枯葉』から、イントロとテーマ出だしの部分のヴォイシングを見てみましょう。

このイントロのリズムは一度聴いたら忘れられないインパクトがありますが、ここでは、そのヴォイシングの方に注目してみます。イントロの右手やテーマの左手のコンピングに見られるテンションとコード・トーンを密集させて響かせたヴォイシングは大きな特徴の１つです。

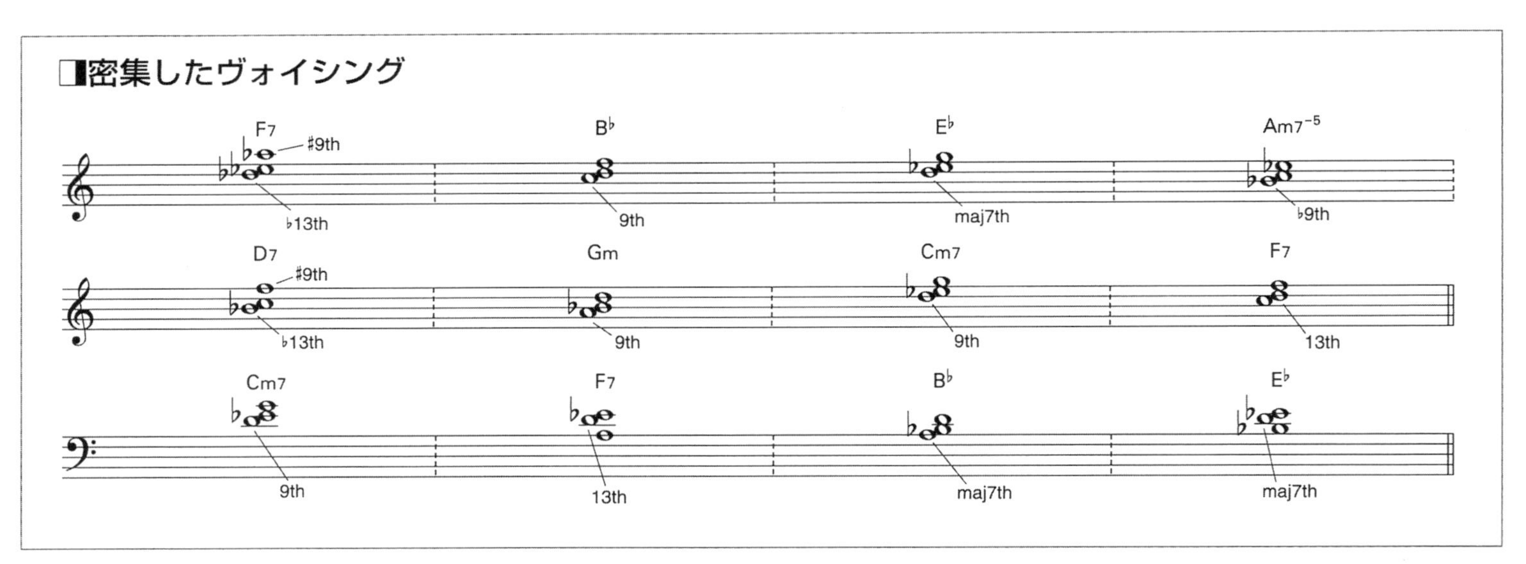

また、ルート＆ 3rd、またはルート＆ 7th という押さえ方がほとんどであった当時、エバンスによる 3rd と 7th を基本とし、その上の方にテンションをつけ加えるヴォイシングは、また斬新なものでした。

❏ 3rd と 7th とテンションのヴォイシング例

他に、アドリブではジョージ・シアリングのブロック・コードからの影響を思わせる手法もよく使われます。次は 3 和音に Drop2nd のアイデアを取り入れた個性的なフレーズです。

❏ ブロック・コード風フレーズ

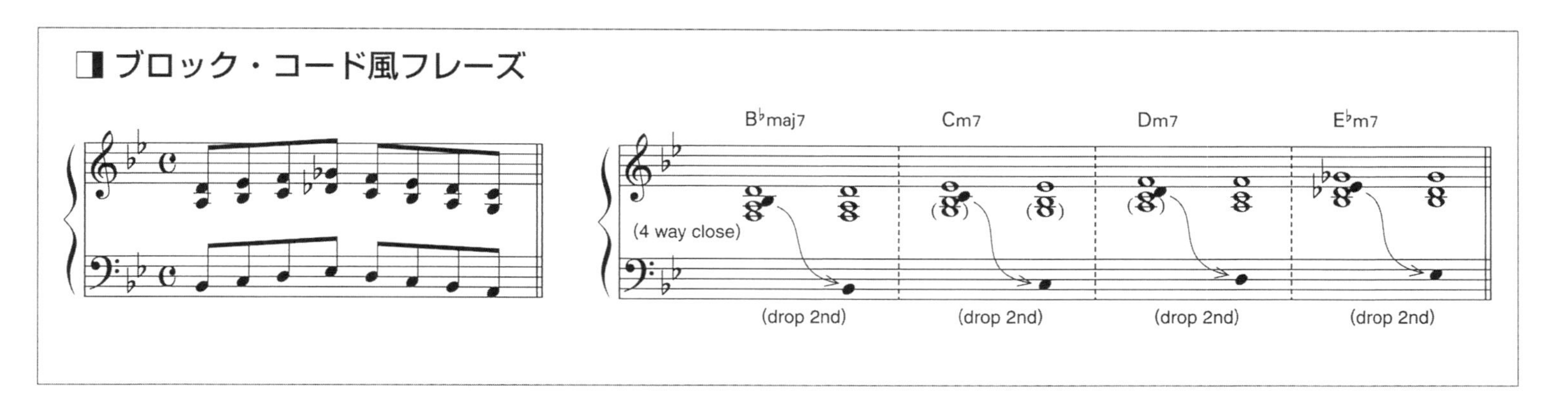

それではもう 1 曲、やはり彼の代表作の 1 つ『ワルツ・フォー・デビー（Waltz For Debby)』でのアドリブ・フレーズを見てみましょう。右手のメロディのリズムに合わせた左手のコードの弾き方が特徴的です。

❏『ワルツ・フォー・デビー』

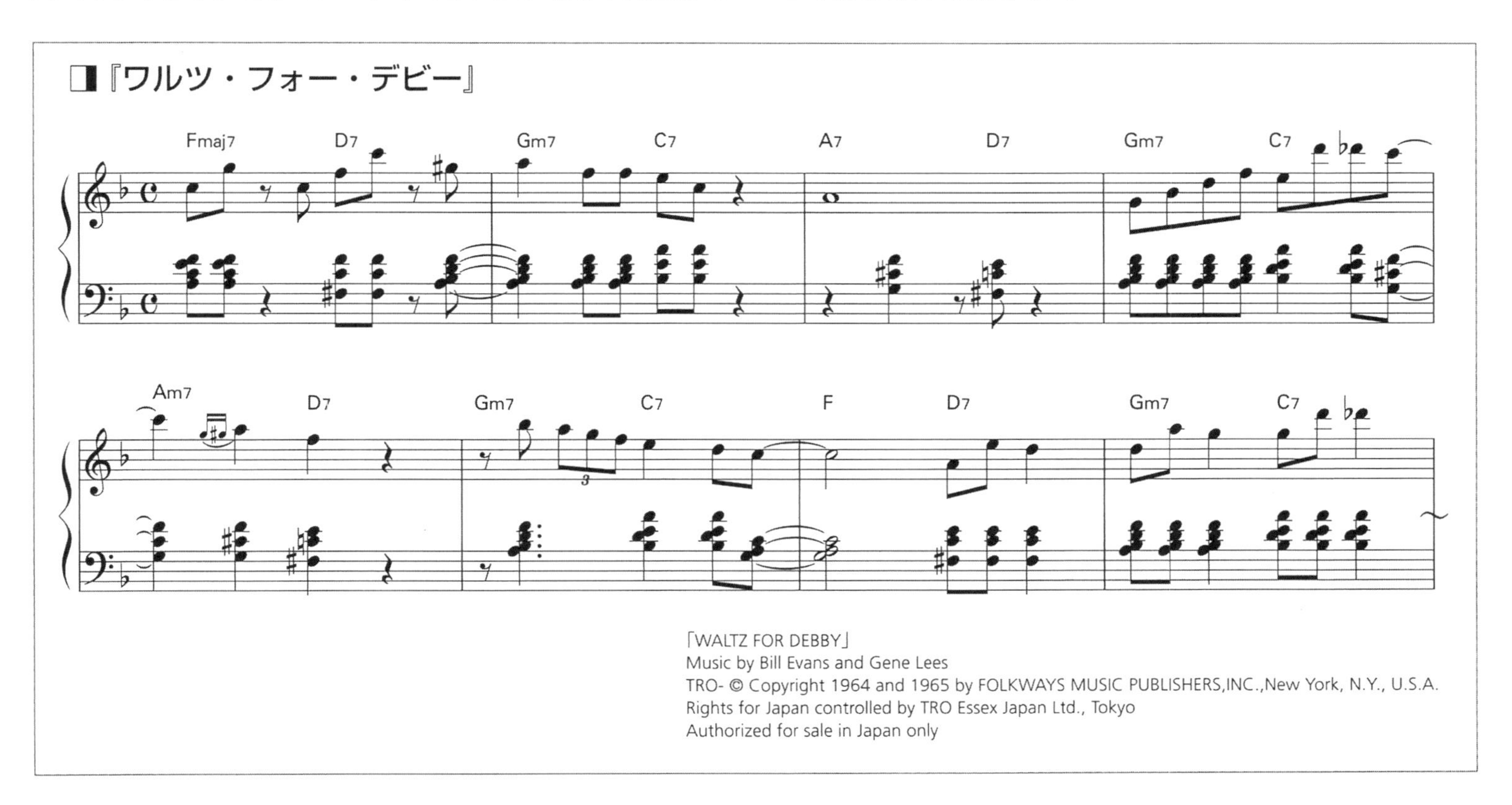

アドリブよもやま話

最後に、これまでのまとめや補足も含めて、アドリブをする時に知っているとちょっと得するかもしれない事柄について書いてみようと思います。

アドリブ応急処置法

セッションなど初見で知らない曲に遭遇してしまった時、とりあえず、その場を切り抜けるために押さえておきたいポイントを挙げておきましょう。

STEP 1 キー

まずは調号からキーを判断します。出だしがキーのトニック・コード以外のこともあるので、曲の最初のコードと最後のコードも合わせて確認しておきましょう。

STEP 2 一時転調（Ⅱm7－Ⅴ7）

キーを確認したら、次にⅡm7－Ⅴ7の箇所をチェックして、転調の有無など、全体の流れをつかみます。Ⅱm7－Ⅴ7の次にくるコードで、そこが何のキーに転調しているかを確認しておきましょう。

STEP 3 スケール

その他、Ⅱm7－Ⅴ7の周辺のダイアトニック・スケール・コードやⅠ－Ⅵm7－Ⅱm7－Ⅴ7などがあるかをチェックしましょう。背景にあるキーを共有している部分があったら、まとめてそのキーのメジャー・スケールでアドリブができます。アップ・テンポの曲やコード・チェンジの激しい曲などの場合、Ⅱ7－Ⅴ7やⅠ－Ⅵ7－Ⅱ7－Ⅴ7も、これで切り抜けてしまう、という荒療治？もアリです。

STEP 4 テンション

歌伴の譜面にとくに多いようですが、テンションが細かく指定されている譜面の場合、その記載されているテンションからスケールを推測することができます。

テンションと対応スケール

〈マイナー・セブンス・コード〉

テンション・ノート	スケール
9th、11th、13th	ドリアン・スケール
♭9th、11th、♭13th	フリジアン・スケール
9th、11th、♭13	エオリアン・スケール
♭9th、11th、♭5、♭13	ロクリアン・スケール

〈セブンス・コード〉

テンション・ノート	スケール
9th、(11th)、13th	ミクソリディアン・スケール
9th、♯11th、13th	リディアン・セブンス・スケール
♭9th、♯9th、♯11th、♭13th	オルタード・スケール
♭9th、♯9th、♯11th、13th	コンビネーション・オブ・ディミニッシュド・スケール
9th、♯11th、♭13th	ホールトーン・スケール

＊(11th)はアヴォイド・ノート

STEP 5 ノン・ダイアトニック・スケール・コード

セカンダリー・ドミナント・コードについては、既に説明済みですが、中には譜面上、解決するコードの記載が見当たらないセブンス・コードや、前後のつながりの分からないコードなどもよくあります。それらは、代理コードやテンション等からリハーモナイズされたコードであったり、一時転調であったり、とさまざまですが、一見しただけでは、その背景に想定されているキーを判断しづらいこともあります。

コードをじっくり分析する時間があれば別ですが、初見ですぐにその場で何か弾かなければならないような時、とりあえず気を付けることは、前後のコードとのつながりが不自然にならないように、自然な流れを作ることです。そんな時、例えば、どんな調性にも適応できるクロマチックなアプローチなどは便利です。ディレイド・リゾルブなどと合わせて、コード間を自然につなげることができます。また、これとは正反対に、敢えてフレーズをつなげずに、休符をとってしまったり、音を跳躍させる、なども1つの手として考えられます。

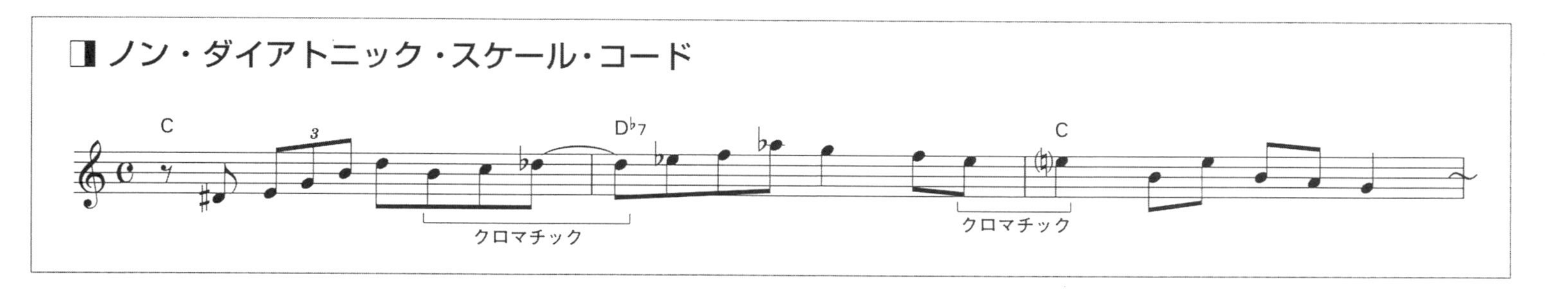

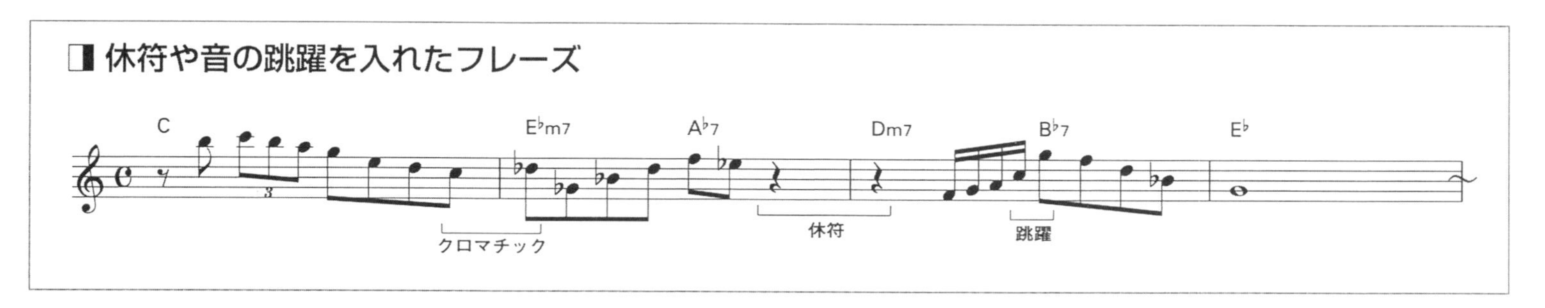

手軽にちょっといいアドリブ

あえて異なるコード・スケールを使う

コードの機能に対して、本来、使われるものと異なるスケールをあえて使って、テンション効果を狙うことがあります。例えばマイナー・セブンス・コードでフリジアン・スケールの代わりにドリアンスケールを使ったフレーズでは本来、Eフリジアン・スケールにない音が効果的な役割を果たします。

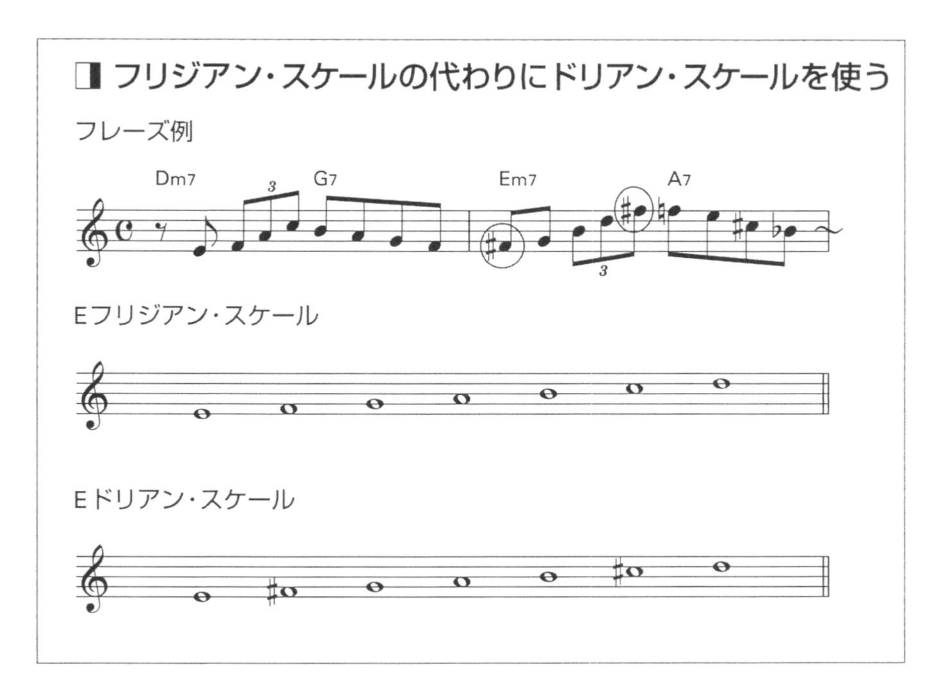

ポリリズムでグルーヴ感のあるアドリブ

ポリコードをコードの2段重ねとすると、**ポリリズム**は複数のリズムの同時進行で、アドリブにもしばしば応用されます。一般的によく知られている2拍3連や、本書でもP.85で紹介した3拍4連（3拍を4等分）などもその一種です。これらは異なるリズムが同時進行して、そのパターンが同じ周期で1小節の中に完結しています。

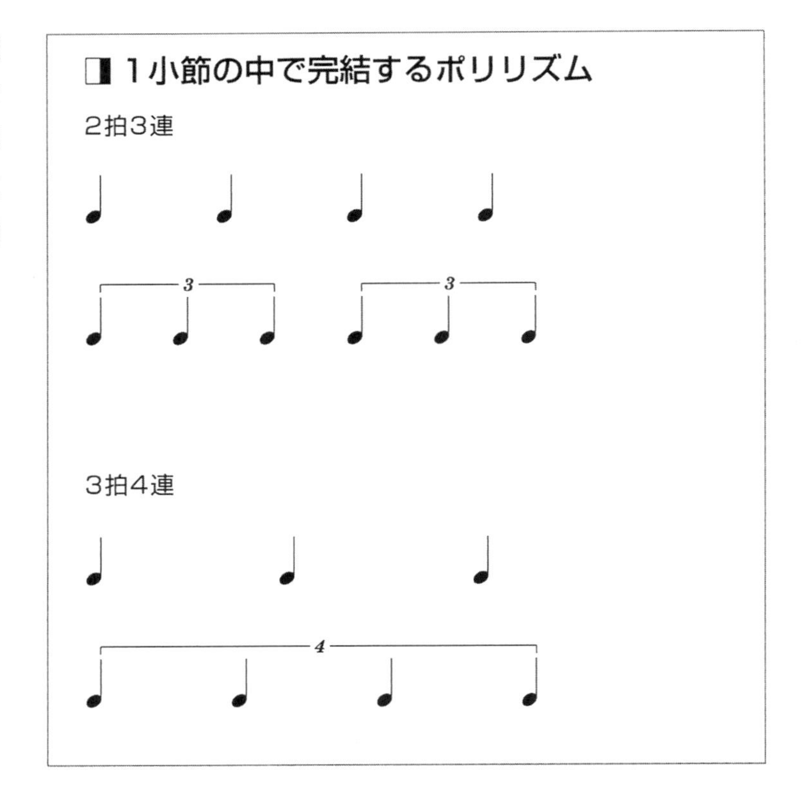

これに対して、4分の4拍子と4分の3拍子など、異なる拍子が同時進行し、パターンを繰り返すうちに、それぞれの拍子のアタマがずれていくようなものもあります。

拍子の異なるリズムの同時進行は、小節感覚に錯覚を起こさせることから、アドリブに、より緊張感をもたらす効果があります。代表的なものとして、3拍フレーズや1拍半フレーズなどがよく使われます。次のフレーズは3拍フレーズ4回で4小節目アタマに戻る例です。

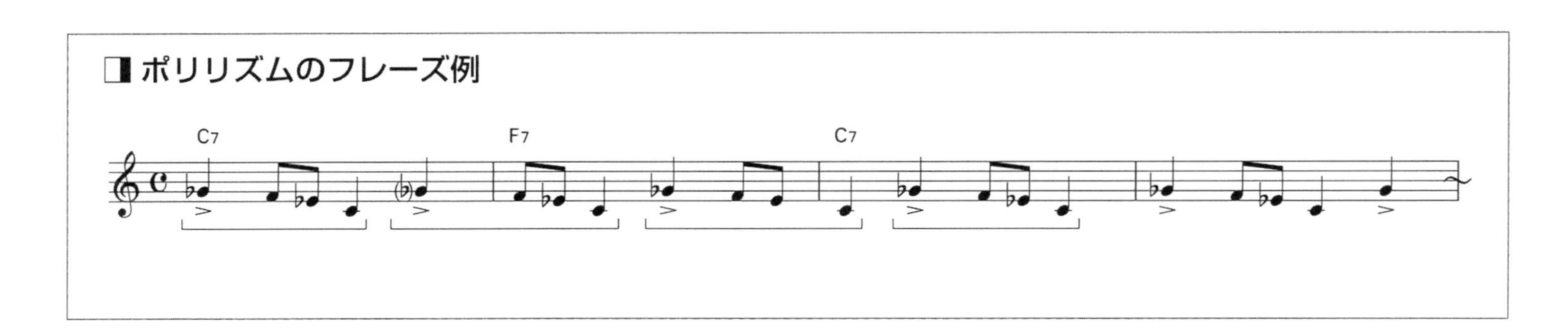

また、フレーズの出だしに休符を入れてアクセントの位置をずらすと、さらに変化に富んだフレーズが作れます。

アクセントを入れたポリリズムのフレーズ例

4分の3拍子でのポリリズムのフレーズ例

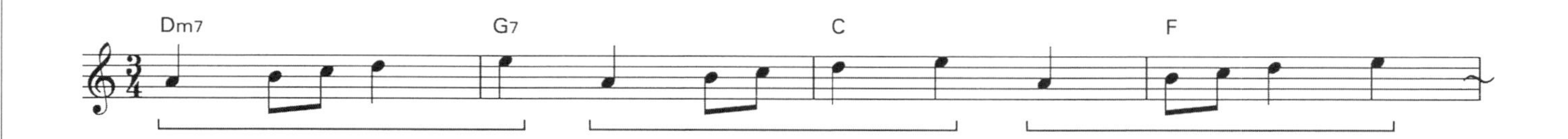

モチーフの音の高さを変化（※印の箇所）させたバリエーションの例

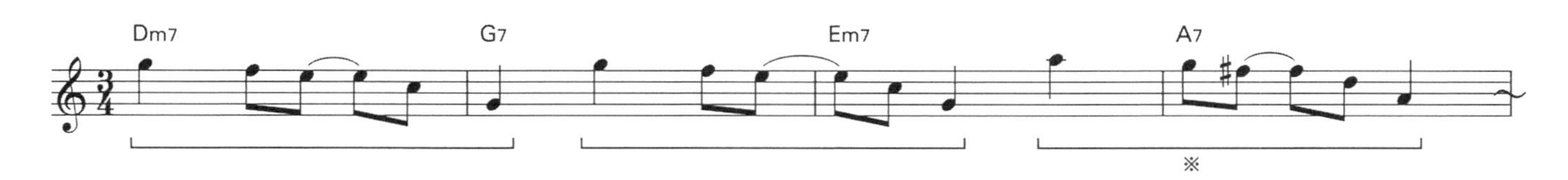

休符を使って2種類のパターンを組み合わせた例

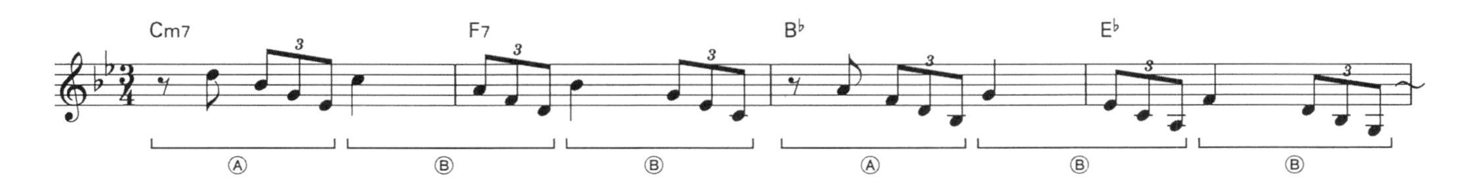

■ あとがき

最後まで読んでいただきありがとうございました。アドリブが少しでも身近に感じられるようになっていただけましたでしょうか？

アドリブは同じ曲であっても、演奏者による曲の解釈、アプローチの仕方、奏法やテクニック等によって全く異なります。まずは、いろいろな演奏を聴いてジャズ特有の言い回しやイディオムのようなものを感じ取ってみましょう。気に入った演奏の音使い、ハーモニー、リズム等を模倣したり、分析してみるのも、アドリブの発想のヒントとして非常に参考になります。また、アドリブは、演奏の全てがその場で思い浮かんだフレーズというわけではなく、練習したり、演奏したことのあるフレーズやアイデア等、それまでに積み重ねてきた経験から引き出されたものも多く使われます。

個性的で独創性のあるアドリブを一朝一夕にして演奏できるようになるのは難しいかもしれませんが、実際に演奏経験を重ねていくことによって自分なりの方向性や表現の方法等が見えてくることでしょう。本書が皆様のアドリブ演奏の第一歩にお役に立つことができれば幸いです。

横岡ゆかり

■ 著者プロフィール

横岡ゆかり　yokooka yukari

東京生まれ。５歳から８歳ごろまでクラシックピアノを習う。
高校でギターをはじめ、早稲田大学在学中はロックバンドのギタリストとして学内外で演奏をする。20 代半ば、キーボードに転向、ブライダルのオルガン奏者の仕事につく。その後、ピアニストとして都内や横浜を中心にホテルやラウンジ、レストランでの BGM 演奏をはじめ、政界人パーティーや、各種ディナーショー、イベントやライブなど、ソロからビッグバンドまで演奏形態を問わず多くのステージを経験する。ジャズ以外にもシャンソン、ハワイアン、ソウル、ロック等、さまざまなバンドのサポートメンバーとして参加、現在ジャンルを問わず幅広く演奏活動中。また、カルチャースクール等の講師としてジャズピアノの指導もおこなっている。

著書に「ジャズ・ピアノはじめよう！」「聴いて！弾いて！ジャズ・ピアノ♪」「ピアノが上達するコード・スケールの使い方」「基本から難曲を弾くための楽譜の読み方」「指で覚えるジャズ・ピアノ・アドリブ完全トレーニング」「ピアノ演奏に活かせるスケール習得法」（いずれも自由現代社／刊）がある。

カンタンなのにカッコいいフレーズがすぐ弾ける！　**ジャズ・ピアノ・アドリブ速習帳**　定価（本体 1600 円＋税）

編著者――――横岡ゆかり（よこおかゆかり）
編集者――――大塚信行
表紙デザイン――オングラフィクス
発行日――――2024 年 1 月 30 日
編集人――――真崎利夫
発行人――――竹村欣治
発売元――――株式会社自由現代社
〒 171-0033　東京都豊島区高田 3-10-10-5F
TEL03-5291-6221/FAX03-5291-2886
振替口座 00110-5-45925

ホームページ――http://www.j-gendai.co.jp

ISBN978-4-7982-2647-7